LA GRANDE PEUR DANS LA MONTAGNE

Écrivain suisse d'expression française, Charles-Ferdinand Ramuz est né
en 1878 à Lausanne, issu d'une famille vaudoise?
Il étudie à Lausanne où il passe en 1901 sa licence en lettres. Après
quelques mois d'enseignement il part pour Paris en 1902 avec l'intention
d'y préparer sa thèse, mais y renonce pour écrire.
En 1903 paraît Le Petit village — Aline *1905 —* Jean-Luc persécuté
1909 — Aimé Pache, Peintre Vaudois *1911 —* Vie de Samuel Belet
1913. Il rentre au Pays de Vaud en 1914 qu'il ne quittera plus que pour
de brefs séjours à Paris. L'année de son retour, avec quelques amis, il
fonde les « Cahiers Vaudois » où paraissent ses nouveaux romans,
presque tous inspirés par sa terre d'origine.
C'est à partir de 1924 que ses œuvres sont connues en France. Citons
entre autres : La Guérison des maladies *1917 —* Joie dans le ciel *1925*
— Taille de l'homme *1933 —* Derborence *1934 —* Paris, Notes d'un
Vaudois *1938.*
Ce romancier, considéré comme un des plus représentatifs de la Suisse
romande est mort à Lausanne en 1947.

Sasseneire est un pâturage de haute montagne que les gens du
village délaissent depuis vingt ans à cause d'une histoire pas très
claire dont tremblent encore les vieux. Mais faut-il perdre tant
de bonne herbe par crainte d'un prétendu mauvais sort alors que
la commune est pauvre? Le clan des jeunes finit par l'emporter :
en été, le troupeau monte à l'alpage, à 2 300 mètres d'altitude,
sous la garde du maître fromager et de son neveu qu'aident quatre
hommes et le boûbe, comme on appelle en pays vaudois le gamin
préposé aux menues corvées.
Celui-ci s'affole tout de suite. Peut-être parce que le site l'impres-
sionne, avec ses séracs géants et ses pierriers, à moins que ce ne
soit l'attitude du vieux Barthélemy qui a vécu la débâcle d'il
y a vingt ans et qui redoute le retour des maléfices. Seul Clou le
borgne rit de ces craintes et court les pentes en quête d'or et
d'améthyste au lieu de travailler, sans que les autres y redisent
car il passe pour un peu sorcier.
C'est avec le départ du boûbe que commence la première des
diableries qui vont isoler hommes et bêtes au pied du glacier
menaçant et déclencher la grande peur dont C.-F. Ramuz fait
le récit dans cette célèbre chronique montagnarde.

DU MÊME AUTEUR

Dans Le Livre de Poche :

DERBORENCE.

C.-F. RAMUZ

La grande peur dans la montagne

GRASSET

I

Le Président parlait toujours.

La séance du Conseil général, qui avait commencé à sept heures du soir, durait encore à dix heures.

Le Président disait :

« C'est des histoires. On n'a jamais très bien su ce qui s'était passé là-haut, et il y a vingt ans de ça, et c'est vieux. Le plus clair de la chose à mon avis c'est que voilà vingt ans qu'on laisse perdre ainsi de la belle herbe, de quoi nourrir septante bêtes tout l'été ; alors si vous pensez que la commune est assez riche pour se payer ce luxe, dites-le ; mais, moi, je ne le pense pas, et c'est moi qui suis responsable... »

Notre Président Maurice Prâlong, parce qu'il avait été nommé par les jeunes, alors le parti des jeunes le soutenait ; mais il avait contre lui le parti des vieux.

« C'est justement, disait Munier, tu es trop jeune. Vingt ans, vous ne vous rappelez pas... Nous, au contraire, on se rappelle. »

Alors il a raconté une fois de plus ce qui s'était passé, il y a vingt ans, dans ce pâturage d'en haut, nommé Sasseneire ; il disait :

« On tient à notre herbe autant que vous, autant

que vous on a souci des finances de la commune;
seulement l'argent compte-t-il encore, quand c'est
notre vie qui est en jeu? »

Ce qui fit rire; mais lui, continuant :

« Que si, comme je dis, et je dis bien, et je redis.

— Allons! » disait le Président...

Les jeunes le soutenaient toujours, mais les vieux
protestèrent encore; et Munier :

« Je dis la vie, la vie des bêtes, la vie des gens...

— Allons, recommençait le Président, c'est des
histoires... Tandis que mon cousin Crittin est un
homme sérieux, on aurait avec lui toute garantie.
Et, comme je vous dis, ce serait septante bêtes au
moins qui seraient casées pour tout l'été, quand on ne
sait déjà plus comment les nourrir ici, à cause de
toute cette herbe de là-haut qui s'en va pour rien,
devient verte, pousse, mûrit, sèche, et personne pour
en profiter... Il y aurait, tout au plus, pour quelques centaines de francs de réparations... Vous n'au-
riez qu'à dire oui... »

Munier secoua la tête.

« Moi, je dis non. »

Plusieurs des vieux dirent non de même.

Munier, de nouveau, s'était levé :

« L'affaire, voyez-vous, rapporterait à la commune
cinq mille francs par an, dix mille francs, quinze
mille francs, elle rapporterait cinquante mille francs
par an que je dirais non quand même, et encore non,
et toujours non. Parce qu'il y a la vie des hommes,
et pas seulement leur vie dans ce monde-ci, mais
leur vie dans l'autre, et elle vaut mieux que l'or qu'on
pourrait entasser, dût-il venir plus haut que le toit
des maisons... »

Seulement le parti des jeunes l'a interrompu,
disant : « Ça suffit. »

Ils disaient : « C'est bon, on n'a qu'à voter! »
Il y en avait qui tiraient leurs montres :

« Depuis trois heures qu'on parle de ça!... Qui est-ce qui est pour? Qui est-ce qui est contre? »

Ils votèrent d'abord pour savoir si on allait voter, en levant la main; puis ils votèrent par oui et non.

« Ceux qui votent oui lèvent la main », dit le Président.

Il y eut 58 mains qui se levèrent, et 33 seulement qui ne se sont pas levées.

II

Les négociations commencèrent donc avec Pierre Crittin, l'amodiateur, qui était de la vallée.

A la vallée, ils ont leurs idées, qui ne sont pas toujours les nôtres, parce qu'ils vivent près d'un chemin de fer. Pierre Crittin était cousin du Président, par la femme de celui-ci, et toute l'affaire était venue d'une conversation que le Président avait eue pendant l'hiver avec son cousin, qui s'étonnait de voir cette montagne non utilisée. Le Président lui avait raconté pourquoi. Crittin avait ri; et Crittin avait ri, parce qu'il était de la vallée. Il avait dit au Président :

« Moi, cette montagne, je la prends quand tu voudras.

— Oh! si ça dépendait seulement de moi..., avait dit le Président.

— Écoute, avait dit Crittin, l'été prochain, je n'aurai plus la Chenalette; ils me la font trop cher, alors je cherche quelque chose... Et c'est comme je t'ai dit : je prends Sasseneire dès qu'on voudra... Tu devrais proposer la chose au conseil; je m'étonnerais qu'il y ait encore de l'opposition, car ton histoire est une vieille histoire; tu n'y crois pas toi-même, ou quoi ?

— Ma foi non!

— Alors... »

Crittin leva son verre de muscat :

« A ta santé...

— Et bien sûr, avait-il repris, que je ne pourrais pas vous donner grand-chose la première année, parce qu'il y aurait à remettre les lieux en état; mais, quand on sait s'y prendre, c'est intéressant une montagne à remonter, disait-il; moi, ça m'intéresse... Et pour toi, ce serait avantageux aussi, vu le crédit que ça te vaudrait si tu arrivais seulement à faire que les finances de la commune aillent mieux, car elles ne vont pas trop bien, je crois...

— Pas trop.

— Tu vois. »

Alors ils ont encore vidé un verre ensemble dans la cave, puis un verre; et le Président :

« Oh! moi, tu sais, je suis d'accord; il y a longtemps que j'y pensais, l'affaire était seulement de trouver preneur. Mais, maintenant, bien entendu, c'est une question qui ne peut être réglée qu'en conseil et par le conseil; alors il faudrait d'abord que je voie un petit peu ce qu'on en pense... Oui, comme ça, préparer l'opinion. Ensuite, je te ferais signe...

— Entendu. »

Ils burent un verre.

« Pour moi, disait Crittin, ça ne fait pas l'ombre d'un doute que la chose ne s'arrange, si on sait seulement s'y prendre, car personne n'y croit plus, au fond, à ces histoires, sauf deux ou trois vieux. Tu n'as qu'à y aller carrément, à mon avis, ça ne peut que te fortifier, tu verras, parce que c'est la jeunesse qui est derrière toi... Santé!...

— Santé!...

— Et il ne resterait plus qu'à s'entendre au sujet

des conditions, mais sûrement qu'on s'entendra;
j'amène mon neveu Modeste, j'ai la chaudière, j'ai
tout ce qu'il faut... On pourrait commencer les réparations au milieu de mai... Tout serait prêt pour la
fin de juin... »

Le commencement de l'affaire avait été cette
conversation que le Président avait eue avec son
cousin à Noël; et, en effet, l'opposition n'avait pas
été aussi forte que le Président, qui était un peu timide
de caractère, ne l'avait craint. Tout ce qui avait
moins de quarante ans lui avait dit :

« Oh! si vous avez quelqu'un!... On y aurait
pensé déjà comme vous, mais justement l'ennui c'est
qu'on ne voyait personne. Vous savez, ces histoires...
Ça avait fait du bruit... Mais si vous avez à présent
quelqu'un et quelqu'un de sûr, et quelqu'un de bien
garanti, nous, on est d'accord, on vote pour... »

Il se passa un mois, deux mois; le Président continuait à entretenir avec prudence de son projet les
personnes que l'occasion mettait sur son chemin;
quelques-unes hochaient la tête, mais la plupart
n'objectaient pas grand-chose; on voyait que ces
vieilles histoires d'il y a vingt ans étaient déjà bien
oubliées, en effet; et, finalement, le Président n'eut
qu'un petit calcul à faire : celui-ci pour et celui-ci
pour, et celui-là contre; ce qui lui a donné un total
d'une part et un autre total de l'autre, deux totaux
sans guère de peine, d'abord dans sa tête, puis sur
un papier; alors il avait convoqué le conseil.

Il y avait eu un premier Conseil de Commune,
un second Conseil de Commune; — et les calculs
du Président, comme on vient de voir, ne s'étaient
pas trouvés si mal établis. 58 oui, 33 non : une belle
majorité, — quand même les vieux n'étaient pas
contents et plusieurs, après le vote, avaient quitté

la salle des séances; — mais, nous autres, on s'en moque un peu, puisqu'il y a eu vote, et le Président pensait : « En tout cas, je suis couvert », — ce qui était l'essentiel pour lui qui, dès le lendemain matin, avait écrit à son cousin, parce qu'il y avait encore les conditions à débattre, mais elles étaient du ressort de la Municipalité, laquelle se composait de quatre membres seulement (tous quatre hommes de moins de cinquante ans, depuis ces dernières élections, qui avaient porté Prâlong à la présidence).

C'est la jeunesse qui vient dehors, portant dehors du même coup les hommes de ses idées; et les idées de la jeunesse sont qu'elle est seule à y voir clair, parce qu'on a de l'instruction, tandis que les vieilles gens savent tout juste lire et écrire. La jeunesse l'avait donc emporté, Pierre Crittin était reparu; on s'était entendu sur les conditions sans trop de peine; ensuite il avait été convenu qu'on irait voir sur place où les choses en étaient, avant de rien conclure définitivement.

Il fallut attendre que la neige eût commencé à fondre; heureusement que l'hiver avait été très froid, mais sec, et le printemps s'annonça de bonne heure. Ce pâturage de Sasseneire est à deux mille trois cents mètres; il est de beaucoup le plus élevé de ceux que possède la commune, c'est-à-dire trois autres, mais qui sont sur les côtés de la vallée, tandis que Sasseneire est dans le fond, sous le glacier. Il arrive qu'à ces hauteurs-là il y ait encore, au mois de juin, des deux, des trois pieds de neige dans les parties mal exposées. Le bénéfice de cette année fut pour Crittin que la couche blanche se trouva moins épaisse là-haut que d'ordinaire et fut ainsi plus vite usée par la bonne chaleur du soleil qui avait commencé à se faire sentir dès le mois de mars. On n'était pas encore

au milieu de mai qu'ils purent monter, et étaient
cinq, c'est-à-dire le Président, Crittin et son neveu,
Compondu et le garde communal. Ils sont partis à
quatre heures du matin avec leurs lanternes et des
provisions, sans oublier une ou deux bottilles de muscat
(qui sont de petits barils plats en mélèze, de la conte-
nance d'un pot, ou un litre et demi). Ils avaient
des souliers ferrés et les deux Crittin des jambières de
cuir, les autres des guêtres de drap boutonnant sur
le côté. On va d'abord à plat sur la rive gauche du
torrent coulant dans un lit très encaissé, entre deux
fortes marges de sable qui apparaissent sitôt que
l'eau commence à se faire rare, mais en cette saison
les bancs de sable et les deux berges elles-mêmes
avaient complètement disparu. On voyait vaguement
le torrent hausser à plein au ras des prés son dos
blanc, qui semblait bouger sur place. Le bon pays
était ici avec son herbe déjà haute, pleine de fleurs;
ici c'était encore le bon pays où le torrent était silen-
cieux et tout tranquille dans les herbages, comme
une bête en train de pâturer. Les hommes marchaient en deux groupes : le Président et Crittin
plus devant. Le Président avait une lanterne; le
garde de commune avait une lanterne. On a commencé à monter. On s'éloignait peu à peu du torrent qu'on laissait descendre sur sa gauche comme à
la corde, tandis qu'on montait soi-même sur la droite,
parmi les bosses de terrain qui venaient en avant
et se mettaient en travers de votre chemin, de sorte
qu'il fallait redescendre, puis on recommençait
à monter. On a passé devant une petite réunion de
fenils qui vous ont regardé venir, se taisant pour vous
regarder venir; après quoi, ils ont été se serrer les uns
contre les autres, comme pour se dire des choses.
On y voyait encore un peu ici, à cause des étoiles et à

cause de l'assez grande largeur du ciel. Mais voilà que
bientôt les bords de la vallée se sont rapprochés, en
même temps qu'on a vu s'avancer à votre rencontre
une espèce de nouvelle nuit plus noire, mise dans le bas
de l'autre comme pour vous empêcher de passer.
Le Président leva sa lanterne, qui était une lanterne
à vitres carrées laissant sortir une bande de lumière
sur son devant et sur chacun de ses côtés : on a vu chacune de ces bandes s'allonger : l'une frappant en
face de vous la pente raide où les pierres ont eu une
ombre, les deux autres faisant venir à droite et à
gauche les troncs rouges des pins qui semblaient avoir
été cassés à une faible hauteur au-dessus du sol
par le vent. On a commencé à cheminer entre ces
tronçons de colonnes comme dans un corridor de
cave, qui était fait par la lanterne, que la lanterne
creusait, que la lanterne perçait devant vous à mesure
qu'on avançait; puis la lanterne l'ôtait de devant
vous, alors tout le noir vous croulait dessus. On était
pris dedans, on l'avait qui vous pesait sur les épaules,
on l'avait sur la tête, sur les cuisses, autour des mains,
le long des bras, empêchant vos mouvements, vous
entrant dans la bouche; et on le mâchait, on le crachait, on le mâchait encore, on le recrachait, comme
la terre de la forêt. On se débattait ainsi un moment,
comme quand on a été enterré vif, puis la lumière de la
lanterne vous ressuscitait à nouveau; — pendant
qu'ils allaient, les cinq hommes allaient, et de temps
en temps une pierre qu'ils faisaient rouler descendait
la pente qu'ils montaient eux-mêmes, mêlant son
bruit au bruit de leurs souliers. Plusieurs fumaient;
mais, dans une nuit pareille, on a beau fumer, c'est
comme si on ne fumait pas.

On a beau tirer tant qu'on veut sur le tuyau de sa
pipe et amener à soi toute la quantité de fumée qu'on

veut : faute d'être vue, elle est comme si elle n'existait pas. Ils avaient donc laissé peu à peu leurs pipes
s'éteindre et ils les avaient fourrées dans leur poche;
ils avaient été sans pipe, ils faisaient seulement un
peu de bruit avec les pieds; puis l'un ou l'autre disait
quelque chose, mais quand on ne peut pas les voir,
les mots c'est comme la pipe, les mots eux non plus
n'ont point de goût. Les hommes ont fini par ne plus
rien dire du tout; c'est ainsi qu'on a mieux entendu le
torrent quand il est revenu avec son bruit, il a commencé à venir un peu, puis brusquement, à un
contour, il a été là dans toute sa force. C'est qu'on était
entré dans la gorge. On aurait eu beau crier à pleins
poumons, on n'aurait pas été entendu. On aurait
eu beau tirer des coups de fusil : la détonation n'aurait même pas trouvé place dans l'énormité de la
rumeur où il leur a semblé flotter comme pris par-
dessous les bras et ils se sont même arrêtés un instant.
Puis, de nouveau, on a vu la lanterne du Président
se soulever, décrivant un demi-cercle, on ne savait
trop à quelle hauteur au-dessus du sol, ni comment
tenue, ni par qui; allant donc ainsi comme d'elle-
même en l'air par ses deux ou trois voyages en rond;
après quoi, les barres de la lumière allèrent frapper
sur la gauche une barrière de bois, sur la droite un
talus rocheux, tandis que devant vous le chemin est
réapparu juste assez large pour vous laisser passer
un de front; c'est pourquoi les hommes se sont mis
en file. Le passage avait été pratiqué là dans le roc
même qu'on avait fait sauter à la mine, tandis que
la paroi tombait à pic sur votre gauche et ainsi le
bruit arrivait directement, vous atteignant sous le
menton, sous une de vos oreilles, sur un des côtés de
votre figure; après quoi, par contraste, il y a eu presque du silence, il y eut retombée et vide, il y eut qu'il

fallut aller chercher le bruit, pour le retrouver; c'est qu'on était arrivé dans un renfoncement de terrain.

Ils montent, ils vont de nouveau à plat, ils montent; c'est un long voyage que ce voyage du chalet, à cause de toute la gorge qu'il fallait longer d'abord d'un bout à l'autre. On compte quatre heures pour la montée, en temps ordinaire, et trois pour la descente en temps ordinaire, mais le commencement de mai n'était pas encore un temps très favorable et les quatre heures se trouvèrent largement dépassées. Pourtant on avait vu les sapins s'espacer enfin et on commençait aussi à les distinguer jusqu'à la pointe, dans une fine poussière de jour comme celle que le vent fait lever sur les routes. Il y eut les troncs qui se marquèrent par un peu de couleur plus noire dans le gris de l'air, en même temps qu'en haut des arbres, des espèces de lucarnes aux vitres mal lavées se montraient. Les cinq hommes firent encore un bout de chemin, écartant de devant eux par-ci par-là un dernier rideau d'ombre, puis ils entrèrent tout à fait dans le jour, en même temps qu'ils arrivaient à un espace déboisé, où les lanternes furent seulement deux petites couleurs sans utilité, c'est pourquoi on les a soufflées. Là, il a fallu qu'ils s'avancent avec précaution, à cause d'une large coulée de neige. Crittin allait devant avec sa canne ferrée, commençant par bien creuser avec le pied un trou où il enfonçait jusqu'à mi-jambe, puis il faisait un pas; et les autres suivaient un à un, mettant le pied dans les trous faits par Crittin. On les a vus ainsi avancer les cinq par secousses, par petites poussées, et ils ont été longtemps cinq points, cinq tout petits points noirs dans le blanc. Ils ont été dans une nouvelle coulée de neige, ils ont été dans des éboulis; en avant, et à côté d'eux, les grandes parois commençaient à se montrer, tandis qu'ils s'éle-

vaient vers elles par des lacets et, elles, elles descendaient vers eux par des murs de plus en plus abrupts,
de plus en plus lisses à l'œil. Ici, il n'y avait plus
d'arbres d'aucune espèce; il n'y avait même plus
trace d'herbe : c'était gris et blanc, gris et puis blanc,
et rien que gris et blanc. Et, eux, ils furent de plus
en plus petits, là-haut, sous les parois de plus en plus
hautes, qui furent grises aussi, d'un gris sombre,
puis d'un gris clair; puis, tout à coup, elles sont deve-
nues roses, faussement roses, parce que ce n'est pas
une couleur qui dure; c'est une couleur comme celle
des fleurs, mais une couleur trompeuse, qui passe
vite, car il n'y a plus de fleurs ici, non plus, ni aucune
espèce de vie; et le mauvais pays était venu qui est
vilain à voir et qui fait peur à voir. C'est au-dessus
des fleurs, de la chaleur, de l'herbe, des bonnes
choses; au-dessus du chant des oiseaux, parce que
ceux d'ici ne savent plus que crier : la corneille des
neiges, le choucas au bec rouge; les oiseaux noirs
ou blancs ou gris qui peuvent encore vivre ici, mais
sans chansons; à part quoi il n'y a rien et plus personne, parce qu'on est au-dessus de la bonne vie et on
est au-dessus des hommes; — pendant que le soleil
venait, les frappant tous les cinq en même temps
sur le côté gauche de leur personne; — et l'année est
ici de deux mois, de trois mois au plus.

Seulement on est bien forcé d'y aller chercher le
petit peu de nourriture qui peut encore s'y trouver,
c'est pourquoi les hommes montaient toujours, et ont
été frappés par le soleil sur le côté gauche, puis ils
ont été dans le soleil tout entiers; ils ont été éblouis
par l'éclat des flaques de neige qu'ils ont dû traverser encore; ailleurs, des avalanches étaient tombées.

Ils se rapprochaient de nouveau du torrent, ils

l'ont vu pendre ensuite à des rochers en face d'eux.

Ils ont alors fait encore beaucoup de lacets, gagnant vers en haut par des lacets, gagnant vers le dessus de cette dernière barrière; c'est ainsi que, dans le milieu de la matinée, ils sont arrivés sur le bord du dernier palier de derrière lequel on les a vus sortir, montrant leur chapeau et leur tête, montrant ensuite leurs épaules; puis tout le pâturage a été devant eux.

Et, dans le fond du pâturage, venait aussi le glacier qui pendait là, peint en belles couleurs de même que toute la combe; et ces belles couleurs toutes ensemble leur venaient contre; mais c'est à peine s'ils y ont fait attention, c'est autre chose qui les intéressait.

La seule parole que Prâlong avait dite à son cousin avait été :

« Eh bien, tu vois qu'en tout cas ce n'est pas la place qui manque. »

Et Crittin avait dit :

« La place, non... »

Ensuite ils étaient repartis, sans plus; ils étaient entrés entre des quartiers de rocs hauts comme des maisons où ils ont enfoncé dans la neige; ils étaient allés comme dans des petites rues pleines de neige entre ces blocs, ils étaient sortis d'entre ces blocs, ils s'étaient trouvés dans du cailloutis, puis sur la pente où l'herbe était comme du feutre, humide encore et élastique sous la semelle, parce que la neige venait seulement d'y fondre; les hommes montaient toujours, ils sont parvenus sous la paroi.

Là était le chalet. On ne le distinguait pas d'abord de la paroi à laquelle il s'adossait et où les poutres de son toit à un seul pan prenaient naissance dans le roc même. Il fallut s'approcher davantage pour voir que ce toit était crevé à plusieurs places, que la porte ne tenait plus dans ses gonds, que le haut des murs avait laissé tomber beaucoup de ses pierres : seulement on s'y attendait. Après avoir bien tout examiné, Crittin s'était assis et écrivait des chiffres sur son carnet de poche. Ils avaient fait aller en arrière le bouchon de bois d'une des bottilles qui s'est mis à pendre au bout de sa ficelle ; ils se passaient la bottille, ils mangèrent, ils firent le tour du pâturage ; ils revinrent, ils burent de nouveau, ils mangèrent ; puis Crittin, à une question de Prâlong, parce que la discussion continuait pendant ce temps :

« Eh bien, oui, à ces conditions, ça m'irait... »

III

Ainsi tout fut arrangé, des papiers avaient été signés ;
dès qu'on put, on envoya là-haut une corvée pour les
réparations qui furent si rapidement menées qu'en
quinze jours tout était fini.

On monta ensuite des paillasses dont on garnit
les cadres où on couchait ; enfin ce fut la montée de la
chaudière à fromage, qui n'était pas une petite entre-
prise, mais fut menée à bien quand même.

Il ne resta plus qu'à engager les hommes qui
devaient accompagner le troupeau.

Le Président, à ce sujet, n'eut pas une bonne impression, il faut le dire.

Pendant plusieurs jours, personne ne s'était présenté ; puis arriva Clou, et le Président n'eut pas une
bonne impression quand il vit que c'était Clou qui
venait s'offrir le premier.

Clou penchait la tête de côté ; il toussotait.

« Il paraît, disait-il, que c'est à vous qu'on doit
s'adresser pour l'alpage... »

Il s'était mis à regarder le Président de dessous
celle de ses deux paupières qui pouvait servir encore,
car l'autre était pour toujours immobile sur l'orbite
vide du globe de l'œil ; il avait le nez de travers, il
avait la partie gauche de la figure plus petite que la

partie droite ; il se tenait devant vous les mains enfoncées dans les poches, il penchait la tête de côté.

Il regardait le Président avec son seul œil, qui était le droit ; on ne savait jamais très bien s'il vous regardait ou non.

On ne savait jamais très bien avec lui, de sorte que le Président se trouva embarrassé, n'ayant réussi encore à engager personne d'une part, mais parce qu'il aurait beaucoup mieux aimé, d'autre part, s'il l'avait pu, ne pas avoir affaire à cette espèce d'hommes-là ; à un homme de cette espèce, dont plus personne ne voulait depuis longtemps ; alors il vivait, on ne savait pas très bien de quoi, allant chasser sans permis, allant pêcher sans permis, allant chercher des plantes dans la montagne, allant chercher des pierres, et on disait de l'or aussi ; tandis que, certaines autres choses, on ne se les disait qu'à l'oreille.

« Ma foi, disait le Président, tu comprends, c'est de mon cousin que ça dépend ; je le préviendrai...

— Moi, disait Clou, ça m'arrangerait assez, cet été, parce que là-haut je serais à portée... »

Il allait commencer à faire nuit, c'était un samedi soir. Ils étaient les deux. Ils avaient monté encore une fois les deux le sentier qui est en arrière du village, pendant que Clou parlait avec le Président. Ils avaient monté le sentier, ils avaient tourné avec le sentier. Un peu plus loin, était la place où ils venaient toujours s'asseoir, ayant le coucher de soleil derrière eux. Il y avait là un trou dans la haie ; lui s'y engageait le premier, puis il se retournait pour tendre la main à Victorine. Il la prenait par la main, il disait :

« Attention à ta jupe. »

Elle venait, toute pliée aussi, faisant paraître d'abord sa tête de l'autre côté du trou ; à ce moment il se redressait, la tenant toujours par la main ; elle

venait encore, puis a sorti dans le jour et tendu vers
lui sa figure brune, où une mèche noire toute frisée,
échappée du peigne, lui tombait jusque sur le nez.
Elle la ramenait derrière son oreille, tout en se redres-
sant à son tour. Puis elle lui souriait avec toutes ses
dents qui faisaient une barre blanche au bas de sa
figure brune...

« Ce sera comme vous voudrez, disait Clou... Moi,
j'ai le temps, décidez-vous, vous me direz... »

Ils avaient le coucher de soleil derrière eux, derrière eux ils avaient la haie, ils s'asseyaient dans
l'herbe.

Ils étaient bien, ayant le coucher de soleil et aussi
la haie derrière eux.

En avant d'eux, étaient les prés en pente au bas
desquels il semblait que le village s'était laissé glisser,
comme les gamins font sur leur fond de culotte.

Il y avait, un peu en avant du torrent, sur une
partie assez plate où elle s'était arrêtée cette réunion
de petits toits, et ils se tenaient serrés là sous leurs
petites fumées bleues.

A travers la couleur de ces fumées, on voyait la
couleur des ardoises, la couleur du bois; on voyait
les ardoises grises. On voyait ces murs faits en vieilles
poutres qui étaient rouges, ou brunes, ou noires, sur
des soubassements passés à la chaux. On voyait que
les toits se tenaient ensemble, s'étant mis ensemble,
aimant à être ensemble, se serrant les uns contre les
autres avec amitié; — et Clou disait que ça ne pressait pas; — on voyait aussi, derrière leurs barrières,
les jardins, qui commençaient à être verts et à se
tacher de jaune, de bleu, de rouge.

Ils étaient bien derrière la haie, parce qu'ils s'y trouvaient à l'abri des regards. Il y avait, en face d'eux,
les montagnes qui devenaient roses. On entendait

causer dans les ruelles, on entendait des portes tourner sur leurs gonds rouillés. On entendait le bruit du verrou de l'étable à cochons pousser longuement son cri tout pareil à celui des bêtes qu'il tient enfermées...

A ce moment, Clou avait fait demi-tour sur lui-même, n'ayant pas ôté les mains de ses poches; il avait dit :

« Ça aurait été commode pour moi, voilà tout... Enfin, décidez-vous. »

Il faut dire qu'il savait qu'on avait peur de lui, alors il en profitait; et alors la montagne n'a plus été rose, elle a été jaune.

On donne des coups de marteau, quelqu'un scie du bois.

C'était le soir, au commencement de juin, et à un moment où les hommes qui devaient monter au chalet auraient dû être déjà engagés, cependant il ne s'était encore présenté personne, sauf Clou, comme on vient de voir; alors ils se tenaient là-haut, les deux, une fois de plus, sous la haie. Longtemps ils n'avaient rien dit. A présent, la montagne devant eux était grise; même les plus hautes pointes avaient été désha-billées de leurs couleurs dans le ciel.

Ils continuaient à ne rien dire. Elle attendait qu'il parlât le premier. Finalement, elle s'était tournée vers lui; elle commençait à être étonnée. Elle l'a regardé une première fois; elle le regarde encore comme pour lui demander : « Qu'est-ce qu'il y a ? »

C'était dans le temps que la montagne était devenue toute grise comme quand la cendre se met sur la braise.

On a entendu claquer des fouets; on a vu les vaches venir boire à la fontaine; elles faisaient des taches sombres, car la race d'ici est une petite race noire.

On a parlé encore dans le village; — et Clou venait de s'en aller, l'épaule gauche plus basse que l'épaule droite; c'est alors que Victorine a regardé encore Joseph.

Il se taisait toujours; il a vu qu'il n'allait pas pouvoir se taire plus longtemps. Et ce fut sous la haie, là où ils avaient été déjà si souvent ensemble, tout à coup :

« Écoute, Victorine... »

Après le grand silence qu'il y avait eu entre eux, et le silence à présent commençait à être partout, sauf l'eau qui coule, les feuilles qui bougent ou le bruit de la clochette qu'on laisse au cou de la chèvre et qu'elle secoue toute la nuit; mais les hommes se taisent et le bruit des hommes se tait; les hommes sont rentrés chez eux, ils mangent la soupe.

Et c'est comme si Joseph avait attendu exprès jusqu'à ce moment pour qu'elle entende mieux ce qu'il avait à lui dire; il a repris :

« Sais-tu, j'ai fait les comptes... Il va nous manquer deux cents francs si on veut se marier à l'automne... Ou bien si tu ne veux plus? »

Il la regardait du coin de l'œil; il a vu qu'elle tournait la tête vers lui, puis qu'elle l'a baissée; il recommence :

« Alors c'est que tu veux toujours?... »

Elle a dit non pour rire avec la tête, il a repris :

« Alors, si tu veux... »

Puis s'arrête encore une fois.

« Écoute, ma petite Victorine, il nous faut être raisonnables... J'ai eu une idée... Ces deux cents francs... Écoute, je me suis dit que j'allais monter à Sasseneire. Ils cherchent du monde. Ma mère pourra faire seule, parce qu'on enverra les deux bêtes là-haut. Je n'aurai qu'à aller parler au Président... Et les deux

cents francs seront trouvés, parce que tu sais qu'on
n'est pas riches; et on pourra acheter le lit, le linge,
tout ce qui nous manque encore, on pourra faire
réparer la chambre avant l'hiver; tout serait prêt
pour le mois de novembre, puisqu'on avait parlé de
ce mois-là, à moins que tu n'y tiennes plus; en ce cas,
on pourrait attendre, mais, moi, j'aimerais mieux
ne pas avoir besoin d'attendre... Et toi? »

Il avait parlé d'affilée; à un moment qu'il eût
assez voulu continuer, parce qu'il n'a pas pu ne pas
voir qu'elle avait laissé donné, il a bien fallu qu'il
s'arrête, quoi aller sa tête en avant; et, ayant mis ses
mains l'une dans l'autre, avait été les loger entre ses
genoux, les épaules ramenées comme si elle avait
froid.

On a entendu venir la clochette de la chèvre qui
a battu dans l'air par petits coups rapides, à deux ou
trois reprises; puis le torrent s'est remis à son discours
qu'il ne va plus interrompre jusqu'au matin. Joseph
a écouté le torrent qui venait, qui est revenu avec
ses longues phrases dites à mi-voix, toujours les mêmes;
maintenant c'était lui qui attendait qu'elle parlât,
et elle ne parlait toujours pas.

« Alors quoi? Victorine. Victorine, tu es fâchée?...
Ça ne fera jamais que trois mois, Victorine, et, si tu
ne veux pas, trouve un autre moyen... Victorine, tu ne
dis rien?... »

Il a voulu lui prendre la main, elle a retiré sa
main.

« Victorine, tu boudes? »

Il a voulu se rapprocher d'elle, elle a fait un mouvement pour s'écarter de lui.

« C'est vrai? tu es fâchée?... Eh bien, on n'aura
qu'à renoncer à se marier pour le moment. Tu sais
qu'ici l'argent ne vient pas vite; j'ai bien réfléchi,

je t'assure, et ça ne m'amuse pas non plus d'aller là-
haut, je t'assure, mais c'est pour toi, je veux dire que
c'est pour nous, c'est pour nous deux... Moi, vois-tu,
quand je parle de toi, je parle de moi en même temps;
quand je parle de moi, c'est de toi que je parle; on
n'est plus qu'un, ou quoi? Victorine, les deux...

— Oh! oui, a-t-elle dit, mais... oh!... »

L'herbe a été alors toute mouillée, comme il a
senti sous sa main, et sa voix à elle s'est mise à trembler :

« Oh! pas là-haut, parce que... »

Puis sa voix a cassé tout à fait, comme quand le fil
n'est plus assez fort.

« A cause de quoi?

— Tu sais bien.

— Tais-toi, Victorine... »

C'était à son tour d'être un peu fâché :

« Des histoires, tout ça! personne n'y croit
plus... »

Il lui avait mis la main sur l'épaule; il la tire
doucement à lui; il lui dit :

« Allons, sois raisonnable... »

Il tend la main dans l'ombre, il pose sa main sur
l'étoffe de son caraco de coton, il sent que c'est rond
sous l'étoffe. Il sent que c'est rond et chaud sous
l'étoffe, dans la fraîcheur de l'air qui fraîchit toujours
plus; une première étoile, seule encore, s'était ouverte
au-dessus de la montagne.

C'était chaud et rond sous sa main; et cette chose
ronde et chaude a bougé un instant sous sa main,
puis ne bouge plus, parce qu'il disait :

« Il faut choisir, vois-tu, ma pauvre petite Victorine... On ne fait pas ce qu'on veut, quand on n'est
pas riches... Moi, c'est parce que je t'aime. Et, toi,
m'aimes-tu?... Alors, dis que tu veux bien. »

Une première étoile parut sitôt le jour retiré, comme ces fleurs jaunes qu'on voit s'ouvrir dans l'herbe des pâturages à mesure que la neige fond...

« Dans les autres chalets, ils ont déjà leur monde, alors je monte avec Crittin. Et on aura une belle chambre, un lit neuf, on aura une demi-douzaine de paires de drap de beau fil, je t'achèterai une robe, j'ai fait mes calculs, j'aurai de quoi... Et puis ça ne fera jamais que trois mois à passer et on se verra de temps en temps, le dimanche. »

Et deux étoiles, trois, puis quatre, tandis qu'il disait :

« Pour le reste, c'est des bêtises et on n'a même jamais pu savoir exactement ce qui s'était passé là-haut, parce que ceux qui y étaient se sont tous contredits. Et puis c'est du vieux, ça fait vingt ans... Je n'y étais pas, toi non plus... »

Il riait.

« Dis... allons, ris... Dis que oui... Victorine... Victorine, demain je vais chez le Président... Victorine, je vais chez le Président. Demain... Chez le Président. Oui ou non ? Si tu ne dis rien, c'est que c'est oui... Une... »

Elle n'a rien dit. Il s'arrête.

« Deux... »

Il s'arrête.

« Trois... »

Elle n'avait toujours rien dit.

Et lui alors l'a regardée un long moment, puis il s'est mis à parler bas :

« Victorine, viens ici. »

Il s'est mis à tirer doucement sur l'épaule qu'il continuait à tenir ; les étoiles continuaient à venir dans le ciel, dessinant des carrés, des triangles, des barres ; finalement il y a eu toutes les étoiles ; on aurait vu qu'il n'en manquait pas une seule, si on avait pu les compter.

Ils ne disaient plus rien, pendant que la chèvre faisait sonner sa clochette.

Et c'était tout, avec la grosse voix de basse de l'eau et le discours qu'elle tient continuellement, étant seule à avoir la parole, toutes les nuits, toute la nuit.

Depuis les huit heures du soir jusque vers les cinq heures du matin, où les portes des maisons s'ouvrent de nouveau, faisant crier leurs gonds mangés de rouille, comme s'il y avait une dispute de femmes.

IV

Il sembla que la visite de Joseph eût décidé de tout, car le jour même arriva chez le Président la mère du petit Ernest, qui venait demander au Président d'engager son garçon, bien qu'il vînt seulement d'avoir treize ans (mais on a besoin dans les montagnes de ce qu'ils appellent le « boûbe » pour les petits travaux, et un enfant de cet âge y suffit); puis, après le souper, ce fut le tour du vieux Barthélemy qui allait être obligé de quitter sa place.

« Et si vous voulez bien de moi je retourne à Sasseneire. J'y étais, il y a vingt ans.

— Ah! a dit le Président, vous y étiez?

— Bien sûr... »

Parlant de dedans une grosse barbe courte couleur de mousse sèche et de dessous ses cheveux qui lui pendaient sur le front entre l'aile de son chapeau de feutre et la peau :

« Bien sûr... Et j'en suis revenu, comme vous voyez; et si vous voulez, j'y retourne.

— Oh! moi, dit le Président, ces histoires...

— Oh! moi », dit alors Barthélemy...

Puis, sur un autre ton :

« Moi, je suis protégé. »

Alors, ôtant sa pipe de sa bouche, il a été chercher

du bout des doigts sous sa chemise un lacet noir de
crasse qui lui pend autour du cou; il a fait venir à lui
une espèce de petit sac; il a dit :

« C'est là-dedans. C'est un papier. »

Il a dit :

« Avec ça, on ne risque rien. Car ils ne sont pas
tous revenus de là-haut, l'autre fois... Mais, à présent, j'ai le papier... »

Le Président s'est mis à rire :

« Alors, puisque vous avez le papier... »

Et, dès le lendemain, tout se trouva être arrangé,
car les Crittin, oncle et neveu, ça faisait deux, et
Joseph trois, et Ernest le boûbe, quatre, et le vieux
Barthélemy, cinq; alors s'était présenté encore le
nommé Romain Reynier, un grand garçon de dix-
huit ans, qui voulait bien venir aussi, — ce qui faisait six; il ne restait donc qu'une place, celle pour
laquelle Clou s'était offert; et la question qui se
posa de nouveau au Président fut de savoir s'il l'enga-
gerait, ce qu'il aurait bien voulu ne pas faire, mais
il se disait : « Si on ne le prend pas, il va nous le
faire payer cher, c'est dans ses habitudes... »

Le président finit par se dire : « Mieux vaut encore
qu'il soit là-haut qu'ici, parce que pour le reste ils
seront là-haut tout ce qu'il y a de plus sûr, et ils
arriveront bien à le faire tenir tranquille. »

Il annonça donc à Clou qu'on l'engageait.

Clou alla tout de suite à l'auberge se commander
trois décis de goutte; et se mit à boire, buvant à crédit
sur la somme qu'il devait retirer à la fin de la saison.

Il se tenait dans un coin de la salle à boire devant
sa petite chopine en verre blanc, le verre plus petit
que ne sont les verres à vin, et où il y avait une couleur
blanche, non la belle jaune des honnêtes gens.

Il regardait par la fenêtre passer le monde, s'étant

installé là bien avant le moment de la journée où on vient boire, de sorte qu'il a été tout seul des heures dans son coin, mais occupé à regarder et ayant eu soin de mettre son bon œil du côté des carreaux.

Il fumait sa pipe.

De temps en temps, il tapait sur la table avec sa chopine qui était vide.

La grosse Apolline venait.

Il disait : « Encore un », à la grosse Apolline...

Il disait à la grosse Apolline :

« Comment vas-tu, toi? tu vas bien? »

Il n'y avait guère besoin de le lui demander; un simple coup d'œil aurait suffi; seulement c'était une manière d'engager la conversation.

En effet, on a entendu la grosse Apolline qui disait à Clou :

« Est-ce qu'il est déjà venu vers vous avec son papier?

— Qui ça?

— Barthélemy.

— Non.

— Alors vous ne savez pas?

— Non.

— Parce que pour aller là-haut, il faut un papier, à ce qu'il a dit. C'est un papier à Saint-Maurice, à ce qu'il a dit. On écrit des choses dessus et puis on va le tremper à Saint-Maurice-du-Lac dans le béni-tier. Et puis on le coud dans un sachet et puis on se pend le sachet autour du cou... »

Clou a dit :

« Oh! moi, je n'ai pas besoin de papier. »

C'était une grosse fille un peu simple; elle a dit :

« C'est bien ce que prétend aussi Joseph et c'est ce que Romain prétend; et les Crittin se sont moqués

de Barthélemy quand il leur a raconté son histoire;
mais, moi, je ne sais pas trop qu'en penser...

— Crois comme eux et crois comme moi », a dit
Clou...

En même temps qu'il fermait encore plus son
œil fermé, de manière à pouvoir ouvrir l'autre tout
à fait, levant vers Apolline une moitié de figure petite
et une autre moitié plus grande, au-dessus d'une
moustache plus courte d'un côté; reprenant :

« Nous, on est philosophe... Sais-tu ce que ça veut
dire? Ça veut dire qu'on sait faire, mais garde ça
pour toi. »

Puis, tout à coup, il s'est tu, parce qu'on entrait.

L'angélus du soir s'était mis à sonner, interrom-
pant le bruit des bancs qu'on déplaçait, tandis que
les trois hommes qui venaient d'entrer avaient ôté
leurs chapeaux, tournant le dos à Clou, en sorte
qu'on n'a pas pu voir si Clou ôtait le sien, ou non.

Il y eut toute la sonnerie, puis les trois coups;
après quoi, le bruit des bancs a repris.

Et partout, dans le village, de l'autre côté des
carreaux, les bruits avaient repris de même; puis on a
vu les trois hommes s'approcher de Clou : c'était
justement le Président accompagné des deux Crittin.

La montée devait avoir lieu le surlendemain
25 juin, jour de Saint-Jean Baptiste; et le Président
aurait aimé qu'elle eût lieu à la vieille mode, c'est-
à-dire qu'elle fût l'occasion d'une grande fête, comme
c'est la coutume depuis toujours, dans le pays. Sur
ce point, le village se trouvait assez partagé. Beaucoup de gens disaient : « Attendons de voir... On
pourra toujours en faire une vraie l'année prochaine,
si tout va bien cette année-ci »; mais le Président
tenait à son idée. Depuis plusieurs jours, il intriguait
auprès du monde, payant à boire à ceux dont l'opi-

nion comptait; et, ce soir-là encore, il avait donné
rendez-vous à plusieurs personnes, jugeant que l'appui
des Crittin ferait de l'effet sur elles. Depuis plusieurs
jours, le Président passait son temps à recommencer
du matin au soir ses mêmes discours, malgré l'avis
des vieux et celui de Barthélemy qui devait pourtant
être renseigné et qui disait : « Il ne faudrait pas être
trop nombreux, ni faire trop de bruit cette fois-ci »; le
Président haussait les épaules. Il disait : « Oh! vous,
on vous connaît. C'est comme votre papier!... » Ce
qui le faisait rire. A la suite de quoi, il reprenait
ses arguments, faisait valoir les frais que la commune avait eu à supporter, le chalet complètement
remis à neuf, le chemin lui-même refait, toute la peine
qu'on avait prise; que ce serait dommage alors, et
que ce ne serait pas logique de ne pas fêter la montée;
et puis injuste quant aux Crittin (qui n'étaient pas
encore là) et que ce serait leur faire un affront, alors
que l'intérêt de tout le monde était de les recevoir
le mieux possible, vu qu'ils avaient été arrangeants
et qu'ils pourraient ne plus l'être autant l'année d'ensuite.

Il faisait rose. Il faisait rose dans le ciel du côté
du couchant. Quand on était au pied de l'église,
on voyait que sa croix de fer était noire dans ce
rose.

En haut du grand clocher de pierre, il y avait la
croix de fer; d'abord elle a été noire dans le rose,
ce qui faisait qu'on la voyait très bien, puis elle s'est
mise à descendre.

On voyait la croix descendre, à mesure qu'on
montait; on l'a vue venir contre les rochers, le long
desquels elle glissait de haut en bas; elle est venue,
ensuite, se mettre devant les forêts, noires comme elle,
et elle n'a plus été vue.

Ils étaient de nouveau les deux; ils s'étaient assis encore une fois dans la haie. Les petites limaces rouges ou noires sortent de leurs cachettes pour aller dans l'herbe qui se mouille, il disait :

« Il faut que je dise merci, Victorine, tu as été bien gentille; je te ferai un petit cadeau.

« Je te ferai un petit cadeau de plus, disait-il; et puis je descendrai une fois, toi, tu monteras une fois; on coupera ces trois mois en morceaux, ils seront plus vite passés. »

Il y a eu beaucoup de monde, ce soir-là, dans la salle à boire; et Joseph parlait beaucoup ce soir-là :

« Et puis, après-demain, c'est entendu que tu viens avec nous, et qu'on fera la montée ensemble. Quelle robe mettras-tu ? »

Elle avait été triste jusqu'à ce moment; elle a été toute changée.

Elle a dit :

« Laquelle aimes-tu le mieux ? »

C'est ainsi qu'elles sont; elle disait :

« Veux-tu que je mette la bleue ?

— Oh! oui, la bleue. Avec le petit fichu rose et vert... »

Elle a dit :

« Comme tu voudras.

— Et puis le chapeau que je t'ai donné, avec la chaînette et la croix. »

Elle a dit :

« Alors, écoute, c'est moi qui ferai les couronnes pour vos deux bêtes et pour les nôtres; à quelle heure est-ce qu'on part ?... »

Puis :

« Seulement, tu me promets que tu descendras une fois. »

Puis :

« Combien est-ce que tu auras de dimanches à toi ? »
Il répondait.

Et elle :

« J'irai cueillir des fleurs, je les mettrai tremper
pour empêcher qu'elles se fanent ; malheureusement,
il n'y en a pas encore beaucoup dans le jardin, il
faudra que j'aille en chercher dans les prés. »

Il disait : « J'irai avec toi. »

« Et le mieux, c'est de faire les couronnes d'abord
et de les mettre tremper une fois faites... La grande
soupière à fleurs : crois-tu que ça ira ?... »

Les cloches sonnèrent de très bonne heure pour la
messe où ils ont été ensemble, elle et lui, puis ils ont
été chercher les couronnes avec de la ficelle. Le Président avait fini par avoir le dessus dans l'opinion des
gens qui avaient presque tous décidé de venir. Les
filles font des couronnes qu'on attache autour des
cornes des vaches et Victorine, pour sa part, en avait
fait quatre, les plus belles, avec des fleurs des prés
et les premières fleurs des jardins.

Il faisait très beau, ce qui était bon signe.

Le soleil était venu de très bonne heure, malgré la
hauteur des montagnes autour de nous ; c'est qu'on
était dans les plus longs jours de l'année.

Il a fait très beau, il faisait du soleil, il y avait trois
mulets.

Il y avait les septante bêtes du troupeau, de jeunes
bêtes pour la plupart. Il y avait Crittin et son neveu,
qui allaient en tête.

Crittin avait une hotte, son neveu aussi, et le
premier mulet balançait sur son bât une espèce de
tour faite de toute sorte d'ustensiles en bois.

Les vaches avaient des fleurs autour des cornes ;

les hommes avaient leurs habits du dimanche, les
filles leurs plus belles robes avec des fichus de soie
de toutes couleurs tombant en pointe dans le dos.

A côté du premier mulet, marchait Romain; puis
venait le troupeau par groupes de deux ou trois bêtes;
et il faisait clair et beau sur leurs robes tachetées,
noires, noires et blanches, brunes, rousses; tandis
que les hommes marchaient sur les bords du chemin.

Les garçons étaient avec les filles; le deuxième
mulet venait ensuite : c'était Barthélemy qui le
menait.

Ce deuxième mulet avait sur le dos toute une charge
de couvertures et de paillasses, avec un sac de sel pour
la léchée, outre quoi il portait une petite fille qu'on
avait assise entre les paillasses et le sac, sur lequel
pendaient ses bas en grosse laine grenat et ses souliers
à bout de laiton.

Il a fait beau et clair, même il faisait déjà presque
chaud, malgré qu'à ces hauteurs les matinées ordi-
nairement soient assez fraîches. Les premières mouches passaient à vos oreilles, comme quand on souffle
dans une trompette. Il a fait beau, il a fait bon; chaque
bête avait sa cloche ou son gros grelot de fer battu.
Après elles, venait le troisième mulet, portant, lui, les
provisions, c'est-à-dire du fromage, de la viande
séchée et du pain pour trois semaines; c'est Joseph
qui était avec le troisième mulet, et avec Joseph était
Victorine. Ils se trouvèrent fermer la marche, parce
que Joseph avait dit : « On sera plus tranquilles »,
puis il a dit : « Monte seulement dessus, il est solide. »
C'était un gros mulet rouge de quatre ans. Et elle :
« Sais-tu combien je pèse? — Ça ne fait rien, monte
toujours... »

Elle était montée sur le mulet; ensuite ils avaient
laissé un petit espace venir se mettre entre la colonne

et eux; il y avait donc, après le troupeau, un bout de
chemin sans personne, puis eux venaient, fermant
la marche avec le gros mulet rouge. Le troupeau
venait d'entrer dans la forêt. Là, peu à peu, les bêtes
et les gens s'étaient mis les uns derrière les autres,
ce qui faisait une longue file entre les troncs des
sapins, de ce côté-ci des barrières. Le torrent avait
recommencé à faire entendre son bruit. On est arrivé
à des endroits où on aurait dit que les vaches avaient
au cou des cloches sans battant, tandis que d'autre
part elles avaient beaucoup ralenti leur allure. Le
maître qui allait en tête avait ralenti le premier,
réglant ainsi le pas de tout le monde. On ne pouvait
même plus être deux de front; alors les garçons
allaient devant, tendant la main aux filles pour les
aider à passer par-dessus une grosse pierre, ou bien
à franchir un de ces ressauts de roc qui font comme
des marches en travers du chemin. Et il y avait toujours, un peu plus en arrière, Joseph et Victorine :
elle était à présent descendue du mulet, mais elle
profitait du mulet tout de même, parce que Joseph
le tenait par la queue et de son autre main il tenait
Victorine. C'était une paresseuse, et puis le chemin
est un long chemin.

Ils ont fait tout ce long chemin, ce long chemin
de la montagne; d'abord, dans l'herbe pleine de
fleurs de tout côté par grosses taches, puis entre les
sapins, sur le tapis des aiguilles tout taché lui aussi de
taches rondes et brodé d'or; — les prés, la forêt,
le soleil, le soleil et l'ombre; puis la grande gorge
et puis plus rien que l'ombre; puis la rocaille qui
commence, les éboulis, alors le soleil de nouveau; —
et là-haut on a vu leur longue file, qui était devenue
toute petite, aller en travers de l'immense pente
grise, semblant à peine bouger; qu'on quitte de l'œil

pour la retrouver, un grand moment plus tard, on dirait à la même place, mais continue à avancer quand même : alors, quand on prêtait l'oreille, on entendait aussi un tout petit bruit comme celui d'un ruisseau dans sa rigole, ou bien comme quand un léger coup de vent rebrousse les feuilles de la haie, puis les laisse retomber...

Ce fut une jolie journée. Tous ceux qui étaient venus parmi les hommes furent d'accord pour trouver l'herbe de belle qualité. On a trouvé que le pâturage avait une riche apparence, ayant été d'ailleurs favorisé, cette année-là, par une force exceptionnelle de soleil qui lui convenait, vu que l'eau descendait partout des hautes parois dont il est entouré.

Il y avait de l'eau en suffisance : il y a eu du vin plus qu'en suffisance dans deux tonnelets qui avaient été apportés par le mulet aux provisions. D'abord, on s'était reposé, tout en mangeant et en buvant, tandis que tout de suite les vaches s'étaient mises à paître; puis les hommes par groupes avaient été examiner les réparations dans la pièce où on fait le fromage, et dans celle où on couche; puis dans la partie qui sert d'abri, en cas de mauvais temps, pour le troupeau; ils avaient trouvé tout en place; il n'y avait pas à dire, c'était de nouveau maintenant un bel et un bon chalet, tout ce qu'il y a de plus suffisant; — ensuite quelques-uns d'entre eux avaient été faire un tour dans le pâturage, pendant qu'on déchargeait les mulets et qu'on mettait en place les ustensiles.

Les garçons et les filles étaient assis par groupes dans l'herbe; on a bu encore, puis on a dansé.

On dansait, on allait boire entre les danses; les garçons et les filles dansaient et buvaient, les hommes buvaient. Et eux aussi avaient bu et avaient dansé : Joseph et Victorine avaient dansé toutes les danses ensemble, longtemps, plus longtemps qu'il n'aurait fallu raisonnablement; car on avait laissé descendre sans y prendre garde le gros soleil tout rond derrière la montagne et la petite aiguille des montres avait déjà dépassé cinq heures que personne n'avait songé encore à tirer la sienne de sa poche. C'est pourquoi il leur a fallu se dépêcher. Joseph avait accompagné Victorine jusqu'en haut des premiers lacets; puis, là, il s'était assis, la suivant des yeux, tandis qu'elle se hâtait de descendre, se tournant vers lui à chaque contour.

Elle le cherchait, elle aussi, des yeux : lui les baissait chaque fois un peu plus; elle, elle devait les lever un peu plus chaque fois.

Elle descendait, il restait assis, elle courait un bout de chemin; elle s'arrêtait, elle se tournait vers lui, elle agitait son mouchoir.

Elle est devenue toujours plus petite, puis elle est arrivée à un endroit où le chemin recommence à aller à plat pour s'enfoncer un peu plus loin derrière un avancement de la pente; là il l'a vue encore, puis il ne l'a plus vue.

Là, il l'a vue pour la dernière fois; là, pour la dernière fois, elle s'était retournée; après quoi, on n'a plus aperçu que la moitié d'en haut de son corps, puis ses épaules seulement; puis, seulement son bras et sa tête, avec une main qu'elle lève encore.

Et un petit point blanc marquait la place de sa main...

Maintenant, il avait beau regarder : il n'y avait plus rien là où elle s'était tenue. Comment est-ce qu'on peut comprendre?

Il restait assis, il ne bougeait pas, il se demandait : « Où est-elle? » C'était comme si elle avait été supprimée de la vie en même temps qu'elle l'était de sa vue.

Il n'a pas pu s'empêcher pourtant d'aller la chercher encore des yeux, il continuait d'aller la chercher au-dessous de lui; mais ce qu'il a vu seulement, c'est que la nuit allait venir; ce qu'il y avait seulement, où elle avait été, c'était une ligne grise sur le vide. Parce qu'elle n'est plus, rien n'est plus. Tout était vide, tout était désert, en même temps qu'il faisait froid et il faisait un grand silence.

Là-haut, quelques corneilles tournaient encore contre les parois avant de regagner les fissures du roc où elles nichent, et ont crié encore peut-être, mais avec des cris pas assez forts pour qu'ils pussent venir jusqu'ici, et venir à nous; alors, il n'y a plus eu que le bruit de l'eau qui ne compte pas; il n'y a plus eu que le grand silence et que ce grand vide, où Joseph se lève parce qu'il avait froid.

Il marchait à grands pas; il avait boutonné sa veste; autour de lui, le pâturage se refermait rapidement. On voyait que les parois qui entouraient le pâturage étaient couvertes de taches noires.

Joseph ne pouvait pas s'empêcher de se retourner de temps en temps, puis il portait ses regards à ces parois. On n'entendait toujours rien, puis voilà qu'une pierre dégringole.

Et une pierre dégringole de nouveau; c'était cette fois dans la direction du glacier; alors Joseph, levant la tête, l'a eu tout entier en face de lui, qui était rose encore à son sommet, mais à ce moment même le rose s'est éteint.

Au moment où Joseph levait la tête, le rose s'est éteint sur le glacier, qui est devenu pâle dans toute sa longueur, en même temps qu'il semblait s'avancer et venir à votre rencontre.

Il parut venir à votre rencontre avec une couleur méchante, une vilaine couleur pâle et verte; et Joseph n'avait plus osé regarder, il s'était mis à marcher plus vite encore en baissant la tête; heureusement que bientôt la belle lumière jaune clair du feu brûlant sur le foyer s'est montrée en avant de lui dans l'ouverture de la porte; et Joseph a tenu ses yeux fixés sur le feu sans plus les en détourner.

V

Tout de suite, ils avaient commencé à vivre leur vie de là-haut, qui allait être pendant trois mois la même vie.

Ils se mettaient à traire avant cinq heures du matin, besogne qu'ils faisaient en commun; ensuite le maître et son neveu allumaient le feu sous la grande chaudière en cuivre suspendue à un bras mobile.

Ils étaient trois alors qui partaient avec le troupeau, levant leurs bâtons derrière le troupeau; c'étaient d'ordinaire Joseph, Romain et le boûbe.

Le maître et son neveu restaient dans le chalet pour les travaux de l'intérieur; eux trois partaient avec les bêtes, parce qu'on ne les laisse pas brouter à leur fantaisie, ni où elles veulent, et on a soin de les changer de place chaque jour, de manière que toute l'herbe soit utilisée; — deux hommes donc dans le chalet et puis trois avec le troupeau; restaient Barthélemy et Clou qui étaient occupés, eux, dans le voisinage du chalet.

Barthélemy, ce matin-là, allait et venait avec sa brouette; Clou, lui, était un peu en dessous du chalet, avec son outil. C'était une place où l'eau qui descendait de la paroi avait une tendance à séjourner,

gâtant les racines de l'herbe; alors il fallait lui percer
une issue qui lui permît d'aller plus bas où on en
manquait. Il y a ainsi un grand nombre de ces petits
travaux de toute sorte dans les montagnes; il y en a
plus que de quoi vous occuper tout le long du jour,
si on veut se donner la peine de les bien faire; mais
Clou pour le moment ne faisait rien. Comme un
mouvement de terrain empêchait qu'on pût le voir,
il s'était assis, fumant sa pipe, et était en train d'examiner minutieusement les rochers en face de lui,
les parcourant des yeux d'un bout à l'autre, à cause
des cachettes qu'il y avait là sûrement, mais il faut
d'abord connaître où on aurait le plus de chances
d'en trouver; — pendant que Barthélemy donc allait
et venait devant le chalet, et que le maître et son
neveu étaient en train de faire la cuite.

Un moment se passa encore. Ce fut pendant que
le maître et son neveu étaient toujours devant le
foyer, mais un moment plus tard : tout à coup, il leur
a semblé qu'il se faisait une diminution de jour dans
la pièce, comme si on se tenait debout dans l'ouverture de la porte, et en effet on se tenait debout dans
l'ouverture de la porte, pourtant ni l'un ni l'autre ne
s'était retourné.

La voix, quand elle est venue, leur est venue
depuis derrière; ils n'ont reconnu que c'était Barthélemy qu'à sa voix.

On disait :

« Vous n'avez rien entendu, cette nuit? »

Le maître continua un instant à faire tourner
avec une pelle de bois la masse du lait dans la chaudière; puis le maître, sans qu'on pût deviner si c'était
à lui plus particulièrement que Barthélemy s'était
adressé, mais il était le maître :

« Non. »

Ne s'étant toujours pas retourné, et Barthélemy :
« Alors bon... Si vous n'avez rien entendu... »

Il était éclairé sur l'épaule et autour de sa barbe
par le jour ; il était éclairé sur le devant de sa personne
par le feu ; il se tenait debout dans l'ouverture de la
porte ; il a dit :

« Parce que, l'autre fois, ça avait commencé comme
ça... Alors je me suis demandé si vous aviez entendu
marcher cette nuit, parce que l'autre fois on avait
entendu marcher, et moi, cette nuit, il m'a bien
semblé entendre marcher, mais si vous n'avez rien
entendu, peut-être que je me suis trompé... »

Bredouillant ces choses dans sa barbe ; mais le
maître s'impatientait.

Il s'était tourné, cette fois, vers Barthélemy :
« Enfin, vous, vous avez votre papier, ou quoi ?
— Oui.
— Et, à ce que vous dites vous-même avec votre
papier, vous ne risquez rien.
— Non, pas moi.
— Eh bien, laissez-nous tranquilles.. »

Disait le maître impatienté, puis qui avait à sur-
veiller sa cuite, ce qui est une opération délicate :
« Nous autres, on s'arrangera toujours. »

Il avait haussé les épaules ; Barthélemy n'avait pas
insisté, s'étant remis à pousser sa brouette ; et déjà la
journée s'avançait, faisant aller le soleil vers le milieu
de la bande de ciel qui était tout ce qui pouvait
s'en apercevoir au-dessus de cet étroit corridor,
où on va être pendant trois mois, nous autres, sans
voir personne, sans rien voir justement que le soleil
qui est promené toujours dans le même sens, au-
dessus de nous, en ligne droite, comme s'il pendait
à un câble.

Il y a eu cette première journée plutôt courte

quant au soleil qui est vite caché pour nous. Vers
les cinq heures déjà, on l'a vu qui commençait à être
attaqué et à être mordu dans sa partie d'en bas.
Ce jour-là, c'était une sorte de corne surmontant une
des arêtes; elle est entrée en coin dans le bas du
soleil, comme quand on veut fendre une souche.

Le soleil fut fendu, en effet, d'un bord à l'autre.
On voyait là-haut ses deux parties s'écarter toujours
plus; puis elles tombèrent chacune de son côté, comme
si elles allaient vous rouler dessus. Deux gros tisons
d'un rouge sombre, qui cependant restaient suspendus, mais ont vite diminué de grosseur. Et, ensuite,
ce fut comme si la corne, puis la paroi la supportant se
mettaient à pencher, penchaient de plus en plus;
et elles ont laissé se détacher d'elles leur ombre,
comme un vêtement qu'elles quitteraient. Il n'y
avait plus de soleil. Il n'y avait plus que cette grande
ombre qui a été sur nous, puis on l'a vue courir en
arrière de nous grimpant aux pentes avec une grande
vitesse, les pentes d'herbe d'abord, puis les premiers
rochers, et un peu moins vite à ces premiers rochers;
tandis que les choses changeaient d'aspect, et la
couleur de tout et même le climat changeaient.

On passait tout d'un coup d'une des saisons de
l'année à l'autre, et du cœur de l'été à une fin d'automne, sans aucune préparation, en même temps
qu'on tombait de plusieurs heures dans la journée et
vers la nuit. Le soleil caché, c'est déjà ici comme
si la journée était finie : c'est pourquoi elles sont si
courtes.

Déjà Joseph et Romain se préparaient à aller
chercher le troupeau.

On ne savait pas bien où était Clou, on ne savait
jamais très bien où il était. Le vieux Barthélemy
allait et venait toujours avec sa brouette.

Le maître et son neveu étaient venus s'asseoir au
pied du mur en pierres sèches du chalet, où on continuait à avoir la bonne chaleur du soleil dans le dos,
le mur étant resté chaud de lui comme un poêle de
son feu.

Ils attendirent là que le troupeau fût revenu,
ensuite ils se sont levés, en même temps que tout le
monde revenait, parce qu'il y avait de nouveau les
bêtes à traire, à quoi ils se sont mis tous les sept,
pendant qu'à présent il semblait que la nuit ne
viendrait jamais plus, à cause de la continuation
autour de vous de cette demi-obscurité sans changement, et avec l'éclairage aussi des lampes roses, sur
les neiges, sur les plus hautes pointes, au sommet du
glacier.

Ils ont trait, ils ont eu fini de traire; les lampes,
là-haut, n'étaient toujours pas éteintes.

Romain s'était mis à faire la soupe, elles éclairaient toujours.

Et encore un peu de temps se passe avant que la
première commence à pâlir, comme elle a fait pourtant enfin; les charbons ont rougi tout en s'envelop-
pant d'une fine cendre grise, à travers laquelle ils
ont essayé de briller encore, mais déjà ils ne pouvaient plus; — à ce moment, les hommes sont rentrés l'un après l'autre dans le chalet en traînant les
pieds, puis ont poussé la porte.

Et ce fut un peu plus tard autour du feu, parce
qu'ils étaient venus s'asseoir autour du feu. Ils étaient
assis en cercle. A côté du maître, il y avait le neveu,
puis on passait à Joseph, puis à Barthélemy. Barthélemy faisait face à la paroi du fond, et cette paroi
n'était pas comme dans les maisons ordinaires faite
de main d'ouvrier avec des pierres mises l'une sur
l'autre : c'était la paroi même de la montagne, c'est-

à-dire un ouvrage de la nature, et non de l'homme,
mais de Dieu. C'était l'assise de la grande arête et la
base du mur naturel avec la roche naturelle; il y
avait dessus de larges plaques d'humidité qui bril-
laient à la lueur du feu. Il y avait cette paroi; il y
avait en face de la paroi la figure de Barthélemy,
également éclairée plus ou moins, à cause de la lueur
augmentant, puis diminuant par larges cercles, qui
faisaient bouger et changer de place les objets dans la
pièce. Une figure toute plissée, couleur de peau de
jambon, de couenne de lard, la barbe plus large que
longue et semblable à de l'herbe sèche, des petits
yeux, un tout petit nez, une bouche qu'on ne voyait
pas (et on n'en devinait la place qu'à la direction
que prenait le tuyau de la pipe en s'enfonçant sous la
moustache). Barthélemy faisait face à la paroi, les bras
sur les genoux, la tête en avant, entre Joseph et
Romain, puis venaient à sa droite Clou et le boûbe,
et le maître et le neveu du maître étaient à sa gauche.
Barthélemy était assis face à la paroi, et, quand on
regardait Barthélemy, on voyait que sa grosse barbe
bougeait toujours, mais il ne disait rien. Les autres se
taisaient aussi, étant dans le moment qui suit le temps
où on a mangé, alors on laisse l'estomac faire sa
besogne, après qu'on a bourré sa pipe. Dehors, il
devait faire complètement nuit, et peut-être qu'il y
avait des étoiles, peut-être qu'il n'y en avait pas : on ne
pouvait pas savoir. On n'entendait rien. On avait
beau écouter, on n'entendait rien du tout : c'était
comme au commencement du monde avant les
hommes ou bien comme à la fin du monde, après
que les hommes auront été retirés de dessus la terre, —
plus rien ne bouge nulle part, il n'y a plus personne,
rien que l'air, la pierre et l'eau, les choses qui ne
sentent pas, les choses qui ne pensent pas, les choses

qui ne parlent pas. On écoutait, il ne venait rien, c'était une nuit sans vent; on écoutait encore, il ne venait toujours rien. De sorte que, par contraste, à l'intérieur du chalet le craquement du feu commençait à être un grand bruit, ou bien quand on déplace le pied ou bien on tousse ou bien on crache. De sorte qu'également le petit bruit qu'a fait ensuite Barthélemy a été un grand bruit; quand il a dit : « Oui, oui », puis de nouveau il hoche la tête, et : « Oui, oui », dans sa barbe, à cause sans doute de ce discours qu'il se tenait toujours en dedans. Les hommes se tournèrent vers lui. Il hocha alors la tête; puis on le vit qui avançait un peu ses mains, avançant dans le même moment sa barbe. Et le maître :

« Alors quoi ? ça vous tient toujours ?... »

Tout à coup, il y a eu la voix du maître qui était venue, et elle vous a fait peur, mais elle vous rassurait en même temps. Elle avait ramené la vie. Ils se déplacèrent tous, bougeant leurs genoux, leurs coudes, leurs bras, leurs pieds, rompant ainsi la trop grande immobilité de leur corps; alors aussi le feu a jeté une flamme plus vive qui les éclaire de nouveau, pendant que les ombres couraient à côté des objets sur la terre battue, et il a semblé que la figure de Barthélemy venait en avant.

Il a dit :

« C'est que j'y étais. »

Sa figure parut grandir, toute sa personne grandissait : elle fut retirée en arrière.

Le fond de la lumière a été diminué jusqu'à n'être plus du tout, tandis que les ombres sont rentrées dans les objets qui les avaient portées dehors : il n'y a plus eu que l'ombre, et c'est dans l'ombre :

« Oui... J'y étais. »

Le maître s'était mis à rire :

« Allez-y seulement, Barthélemy; ça vous soula-
gera. Depuis le temps que vous remâchez votre
histoire. »

Il avait pris en même temps, sur le fagot, une
branche, qu'il jeta dans le feu, et la suite du discours
est venue pendant qu'une grosse branche de sapin
avec toutes ses aiguilles s'enflammait, de sorte que
Barthélemy a été porté de nouveau en avant, et
on a vu sa bouche bouger davantage et plus
vite :

« Oh! vous n'y croyez pas, je vois bien... Ça ne
fait rien, parce que c'est vrai... Et puis j'y étais,
continua-t-il. Et on était comme à présent, on était
sept comme à présent, dont le grand Chamoson, vous
vous souvenez de lui? non, vous ne pouvez pas vous
souvenir de lui, vous êtes trop jeunes. Un homme
robuste pourtant, un homme de six pieds, un homme
comme on n'en fait plus... »

Il a tiré sur sa pipe qui avait un couvercle percé de
trous, et une petite fumée bleue sortant par chacun
de ces trous faisait comme des fils qui se réunissaient
en se tordant plus haut dans l'air :

« Et ça a commencé par rien du tout, une écharde
qu'il s'était plantée dans le pouce... »

Il a dit :

« Il en est mort. »

Il vous a regardés les uns après les autres, puis :

« Il en est mort... »

Et, encore une fois :

« Mort... »

A présent, il se retirait dans l'ombre; il a été ramené
en arrière comme s'il voulait cacher un secret;
pourtant ce n'était pas son intention, car il a recommencé :

« On n'a même pas eu le temps de le descendre,
parce qu'il était déjà tout enflé, tout noir et enflé...
Il était pourri avant d'être mort. »

On n'a rien répondu, il n'y avait rien à répondre.
Barthélemy a continué :

« C'est comme ça. »

Barthélemy a dit :

« Et ça en fait un. L'autre, c'était le maître. Il
était justement à la place où vous êtes, maître; on
était comme ce soir, seulement on n'était plus que
six; alors, moi, je leur avais dit : « Je vous dis que
« j'ai entendu marcher de nouveau sur le toit, ça
« va mal aller... » Ils se sont mis à rire comme vous.
J'ai dit : « Vers deux heures du matin, ça m'a réveil-
« lé... » Ils disaient : « Pas nous... » J'ai dit : « Tant pis
« pour vous! » Mais il y avait aussi que le maître
devait aller chasser le lendemain; et j'aurais voulu
au moins qu'il n'y aille pas, comme je lui ai dit :
il n'a rien voulu entendre. Eh bien, le lendemain,
on l'a trouvé mort dans les rochers. On a dû lui
envelopper la tête dans des linges, parce que la cer-
velle avait coulé dehors... »

Maintenant, Barthélemy ne s'arrêtait plus, venant
avec ses petites phrases de dedans sa grosse barbe :

« Et on a dû le descendre au village sur une civière,
et, nous, on n'était plus que trois. On n'était au chalet
que les trois; alors je dis : « Il faut fermer la porte »;
elle était sans serrure. Elle n'avait pas plus qu'à
présent de serrure, ni de clef, ni même de verrou.
Je dis : « Il faut l'attacher avec une corde. » Je vais
chercher la corde, mais les deux autres se lèvent,
parce qu'ils étaient fâchés, — ils étaient fâchés je ne
sais pas de quoi, mais ils étaient fâchés. Ils m'ont dit :
« Pas de ça! » Je dis : « Comme vous voudrez. »
N'empêche que c'est le dernier soir qu'on a passé ici,

et un peu plus tard ils ont pu voir qui avait raison
d'eux ou de moi. Il leur a bien fallu entendre. Ils
s'étaient mis assis, puis les voilà qui se tournent du
côté du mur, ils se cachent la figure sous leur couverture; ils se font tout petits, ils se roulent en boule
dans la paille et sous les couvertures; moi j'écoute.
On marchait sur le toit. Je dis : « Hein? eh bien,
la corde? » mais voilà qu'à ce moment on saute en
bas du toit. J'arrive comme on allait entrer. J'ai eu
juste le temps de donner dans la porte un coup
d'épaule au moment où elle s'ouvrait, et puis je l'ai
calée dans le bas avec le pied, seulement il m'a fallu
la tenir jusqu'au matin, et j'ai été seul à la tenir
jusqu'au matin; et tout était tranquille de nouveau
quand le matin a été là; mais, pour tout l'or du
monde, on n'aurait pas pu nous faire rester une heure
de plus ici. On est redescendus avec le troupeau le
jour même. »

Il vient de nouveau en avant; il dit :

« Et l'année suivante on n'est pas remonté, ni
l'année d'après la suivante, ni celle d'après celle-là,
ni aucune année, vingt ans de suite, comme vous
savez bien et jusqu'à celle-ci. Et c'est qu'on a fini
avec le temps par n'y plus croire, mais j'y étais,
moi, et ce que je dis est la vérité... Oui... Oui... »

Ayant recommencé à parler alors en arrière de sa
barbe, de sorte qu'on n'entendait plus ce qu'il disait,
bien qu'il hochât toujours la tête : et le silence était
revenu.

De temps en temps, un tout petit bruit se faisait
entendre; c'était une pierre qui roulait sur le toit,
ou bien une goutte d'eau qui tombait.

Le maître a demandé à Barthélemy :

« Alors pourquoi est-ce que vous êtes remonté,
cette année?

— Oh! à présent, j'ai le papier. »

On l'a vu qui allait avec la main sous sa chemise; alors cette histoire du papier a fait du bien, parce qu'elle a fait rire, en même temps qu'elle vous aidait à oublier le reste de l'histoire, — parce qu'à présent le maître disait :

« Et qui est-ce qui vous l'a donné?

— C'est Sauget... »

Le maître disait :

« Et qui est-ce ça, Sauget?

— Oh! vous ne l'avez pas connu non plus, parce qu'il était déjà très vieux en ce temps-là, mais c'était quelqu'un qui se connaissait à ces choses comme personne, c'était un sage et un savant, il avait beaucoup lu dans les livres; il m'a dit : « Avec ce papier « tu ne risques rien; trempe-le seulement trois fois « avant de monter... ».

Il se leva, et, tout en se levant :

« Trois fois dans le bénitier à Saint-Maurice-du-Lac. Le dimanche après le jour de la fête de Saint-Maurice. Et c'est ce que j'ai fait. »

Étant debout, à présent; et le maître :

« Est-ce que le papier ne peut pas servir pour nous aussi? »

Mais Barthélemy n'écoutait déjà plus, vous ayant tourné le dos; une dernière fois il fut éclairé de dos, puis il est entré dans l'ombre; on l'a vu encore tout juste passer sous la porte basse menant à la chambre où on couche, après quoi on a entendu le bruit de la paille, puis plus rien.

Eux, restèrent un moment encore autour du feu. On les a entendus rire. On ne se rappelle pas si Clou a parlé ou non.

On se rappelle seulement qu'ils restèrent autour du feu plus longtemps qu'à l'ordinaire.

Il y avait dans la chambre où ils couchaient un falot-tempête, qui était pendu à un clou.

Ils dormaient dans trois grands cadres de sapin occupant trois des côtés de la pièce, et dans le quatrième une fenêtre était percée; trois grands cadres supportés par des pieds sur un de leurs bords, scellés de l'autre dans le mur. Ils se sont couchés. Le dernier qui se coucha avait soufflé la lanterne.

Il avait dû se passer beaucoup de temps. Tout à coup, Joseph a entendu qu'on lui parlait. C'était le boûbe.

La lune s'était levée et éclairait par la petite fenêtre le cadre se trouvant sur le côté gauche de la pièce; là, Joseph vit que le vieux Barthélemy était assis, faisant de nouveau bouger sa barbe; probablement qu'il priait.

A côté de lui, vous tournant le dos et faisant face au mur, Clou semblait dormir.

Joseph était dans l'ombre, c'est pourquoi il ne pouvait pas voir le boûbe, mais il le sentait tout proche de lui qui tremblait : « Oh! laissez-moi venir vers vous, disait le boûbe, j'ai peur.

— Peur de quoi? »

Mais le boûbe :

« J'ai peur, j'ai peur. »

Il tremblait, sans que Barthélemy toujours assis eût paru s'apercevoir de rien; alors Joseph au boûbe :

« Viens seulement; il y a de la place. »

Il l'a fait se coucher à côté de lui. Il avait dû se rendormir. Maintenant, il n'y avait plus de lune; mais Joseph, s'étant réveillé, sentait toujours le corps du boûbe qui tremblait contre le sien.

VI

La vie d'en bas, pendant ce temps, continuait son
petit train; c'est ainsi que, quelques jours plus tard,
le vieux Munier était monté avec sa luge chercher
une provision de fagots dans la forêt.

Ces luges, c'est de quoi ils se servent dans leurs
mauvais chemins où aucune voiture ni véhicule à
roues ne pourrait s'aventurer; alors ils ont pour les
remplacer ces traîneaux faits de grosses pièces de
bois à peine écorcées, qui tiennent ensemble, non au
moyen de clous, mais bien de fortes ligatures en
osier qui leur donnent de la souplesse, et avec de
larges glissoires; — comme était donc la luge de
Munier, à laquelle il avait attelé une vache.

Il redescendait avec sa provision de fagots; il
venait d'arriver en haut d'un raidillon particulièrement penché qui rejoignait du bas le chemin de
Sasseneire.

La vache avait eu beaucoup de peine à traîner
sa charge pendant un moment et Munier pour l'aider
marchait devant elle, tirant sur la bride; puis voilà
qu'on a vu la vache s'accroupir sur son train de derrière, pendant que Munier tirait en sens inverse,
tant qu'il pouvait, de ses deux mains.

On a vu alors les brancards monter à frottement juste contre les flancs ronds de la bête, dépassant ses cornes du bout; en même temps, le devant des glissoires s'était mis à porter à faux, de sorte qu'on a pu en voir le dessous; puis toute la masse a basculé en avant, poussant la bête qui s'est laissée glisser sur ses sabots parmi les pierres, où deux traces luisantes se sont alors marquées, laissant voir les cailloux écrasés faire par place un petit peu de farine, tandis qu'une poussière montait de chaque côté des glissoires comme si elles avaient pris feu.

Heureusement qu'il y a des paliers, il y a des repos par moment dans ces pentes; et un de ces paliers était venu dont Munier profita pour laisser souffler sa bête et pour souffler soi-même un peu.

Ce fut pendant que Munier était là. Il regardait du côté du chemin.

Et Munier a été étonné de voir qu'on venait sur le chemin, pendant qu'il s'étonnait aussi des dimensions de la personne; mais, ce qui l'étonnait le plus, c'est la façon dont on venait, parce qu'on avait la tête en avant, et parce que tantôt on courait, tantôt on s'arrêtait, puis on faisait deux ou trois pas, puis on s'arrêtait de nouveau.

Et Munier regardait toujours — Munier qui avait donc voté non et était donc un de ceux qui avaient voté non à l'assemblée de commune; — puis il a dit : « Est-ce possible? » puis : « C'est bien lui. » Puis : « Alors qu'est-ce qui arrive? » ayant dans le même moment tiré sur sa bête qui reçut de nouveau le poids de la charge dans l'arrière-train.

C'était le boûbe. Il avait ses habits du dimanche; ceux de la semaine étaient dans un petit sac de toile sur son dos. Il tenait la tête en avant, on ne voyait pas sa figure. Il avait bien été forcé de s'arrêter,

ayant trouvé Munier et la luge de Munier qui lui
barraient le chemin; pourtant il n'avait pas relevé
la tête sous son petit chapeau de feutre noir devenu
rouge; et même, maintenant (parce que Munier
avait commencé à lui parler, lui disant : « D'où viens-
tu? ») il se cachait la figure dans son bras.

« D'où viens-tu? » a recommencé Munier.

Alors, toujours sans la relever, le boûbe a fait un
mouvement avec la tête vers la montagne; après quoi
ses épaules, sous la veste de drap trop large, se sont
mises à trembler malgré le soleil et la chaleur.

« Pourquoi es-tu descendu? » avait repris Munier.

Mais le boûbe a seulement tremblé plus fort et le
tremblement gagnait à présent toute sa petite personne et jusque dans le pantalon trop long ou trop
court, qui n'était pas encore tout à fait un pantalon
d'homme, mais n'était plus une culotte et tombait
raide jusqu'à mi-jambe avec une grosse bosse au
genou.

« Ça n'allait pas là-haut, hein? »

Le petit Ernest a secoué la tête.

« Ah! ça n'allait pas; qu'est-ce qui n'allait pas?

— J'avais... j'avais peur...

— Peur de quoi?

— Parce qu'on marchait.

— Hein?

— On... marchait...

— Hein?

— Sur le toit...

— Hein?

— ... Alors le maître m'a dit : « Va-t'en! »

Et puis :

« J'ai froid... J'ai mal à la tête...

— Arrive, a dit Munier. On descendra ensemble. »

Sans plus rien dire, Ernest s'était mis à marcher à

côté de Munier, pendant que la vache tirait, mais à présent le chemin était bon, de sorte qu'on n'avait plus besoin de s'occuper d'elle ; et Munier s'occupait à poser au petit Ernest toute sorte de questions.

Des hommes étaient en train de faucher dans les prés bordant le chemin ; ils se sont redressés, croisant les mains sur le manche de leur faux.

Et plus loin est venu le village, mais Munier avait déjà arrêté toutes les personnes qu'il avait rencontrées ; et, dans le village, il a continué à agir de même, ce qui fit un attroupement, pendant qu'on allait prévenir la mère du petit Ernest...

Ce soir-là, Victorine était en train d'écrire et il pouvait bien être déjà dix heures ; elle était dans sa chambre en train d'écrire une lettre à Joseph quand elle a entendu du bruit dans la rue.

Elle a été ouvrir la fenêtre. Il y avait dans le haut de la rue une femme qui venait de sortir de chez elle, pendant que d'autres femmes étaient sur leurs perrons.

Victorine a reconnu la mère du petit Ernest ; et la mère du petit Ernest :

« Je ne sais pas ce qui lui arrive ; il n'arrête pas de trembler... »

On voyait sur ces autres perrons les barres de lumière que faisaient en travers de la dalle les portes ouvertes à demi ; là, les femmes, se penchant, disaient quelque chose, et d'en bas :

« Oh ! bien sûr, j'ai tout essayé... Je lui ai fait boire du thé bouillant, je lui ai mis des bouteilles d'eau chaude... Ça n'a servi à rien, qu'est-ce qu'il faut faire ?...

— Attendez... »

On est descendu des perrons ; les femmes avaient rejoint la mère du petit Ernest.

Il faut dire que Victorine n'avait pas pensé ce

soir-là beaucoup plus loin, et, ayant fermé sa fenêtre,
elle s'était remise à écrire. Romain devait descendre
le samedi suivant avec le mulet. La grande affaire
était alors pour elle la lettre qu'elle comptait lui
remettre. Il ne se passa rien d'important jusqu'à ce
samedi-là ; et la lettre de Victorine était prête depuis
deux ou trois jours déjà, qui était une longue lettre,
où elle avait pourtant laissé une place vide, comptant
la remplir au dernier moment.

Le samedi, dès les sept heures et demie, elle était
dans la boutique. Romailler s'est mis à rire derrière
le comptoir en la voyant entrer.

« Tiens ! tu es déjà levée. »

Il riait dans sa barbe noire, les mains dans les poches, en avant des piles de morceaux de savon et des
pièces de drap qui garnissaient les rayons en étages
derrière lui.

« Voyons, disait Romailler, de toute façon, ils ne
peuvent pas être là avant dix heures... »

Parlant de Romain et du mulet, parce qu'elle
s'inquiétait déjà ; parlant de Romain et du mulet
au pluriel, parce qu'ils devaient venir ensemble :

« Alors, repasse un peu après dix heures... Ou bien
est-ce que tu veux l'attendre ?... »

Ne parlant plus que de Romain.

« Voilà une chaise, mets-toi là... »

Mais elle était trop agitée pour attendre. Et elle
revint à dix heures, à dix heures et demie, à onze,
à onze heures et demie, à midi : Romain n'était toujours pas arrivé.

Non, d'ailleurs, qu'il se fût rien passé de grave,
mais c'est qu'il avait volé à son père un vieux fusil
de chasse qu'il avait été cacher, le jour de la montée,
non loin du chemin, sous des feuilles sèches, comptant
bien l'y reprendre dès que l'occasion s'en présenterait,

et l'occasion s'en présentait. A la descente déjà, la tentation avait été trop forte, bien que Romain par prudence ne comptât se servir de son arme qu'en remontant; et ainsi il avait perdu près de trois heures, parce qu'il y a des écureuils, et il y a parfois des lièvres, mais, à défaut de lièvres, il y a des écureuils, il y a des geais, des pigeons. Il avait attaché le mulet par la bride à un tronc de mélèze, et : « Toi, tu vas rester là », ayant été fouiller ensuite sous les feuilles, dans une fente de rocher où était l'arme, avec une poire à poudre, de la grenaille et des capsules dans une boîte en fer-blanc, car c'était un vieux fusil à chien, mais ça n'empêche pas; puis il s'est glissé sans faire de bruit d'un arbre à l'autre, levant la tête vers ces puits en hauteur qu'il y avait entre les troncs, avec une fermeture d'air dans le bout, une belle fermeture d'air bleu.

Romain visait, tirait, manquait.

Il faisait venir au bout du canon de son fusil un autre canon de fumée, tandis que la secousse lui entrait dans l'épaule; puis, l'arme levée, il restait là, s'attendant à voir tomber l'écureuil, et l'écureuil ne tombait pas.

Seulement déjà, un peu plus loin, un geai s'est mis à crier; alors Romain a couru après le geai.

Telle était sa nature, et il cédait à sa nature, entre les troncs, dans la rocaille, montant ou descendant la pente abrupte, toute glissante d'aiguilles, coupée de bancs de rochers; ainsi il avait fini par arriver à un endroit dégarni d'arbres, d'où il dominait la pointe des sapins poussant plus bas et sur laquelle il avait vu des pigeons se poser; alors il a tiré sur les pigeons, et eux sont partis droit devant eux pour l'autre côté de la gorge, parcourant en une ou deux secondes le chemin que l'homme mettrait des heures à faire, ô le condamné, parce qu'il lui faudrait descendre, puis remonter, avec mille peines, tandis qu'eux n'ont qu'à se lancer sur la belle route droite, la belle grande route, toute plate, de l'air...

Cependant Romain avait donc encore couru après les pigeons, couru de nouveau après les geais, ayant plusieurs fois risqué de se casser la tête; — il était midi passé que le mulet attendait toujours au bord du chemin. Cela donna, au total, que Romain ne parut à la boutique qu'après deux heures.

Aux questions qu'on lui posait, il avait répondu par une histoire qu'il avait eu tout le temps de préparer en venant : « Oh! disait-il, c'est seulement une génisse qui s'était sauvée »; et puis il a eu faim et puis surtout il avait soif.

Il mangeait, il buvait; et elle, elle avait été une des premières à être là (pour la sixième ou la septième fois); alors, voyant Romain être tranquillement assis devant une chopine et un verre, la joie l'a faite changer de couleur; parce que la joie a tiré d'abord tout son sang au cœur, puis l'a refoulé, lui faisant les oreilles devenir toujours chaudes, lui gonflant les veines du cou.

Elle arriva droit sur Romain :

« Mon Dieu! Romain, qu'est-ce qui se passe ? »

Mais lui, de nouveau :

« Rien du tout. »

Il a recommencé son histoire :

« Il y avait une génisse qui s'était échappée, on s'est tous mis après, et, comme ça, ça a fait du retard. »

Il a vidé son verre, tandis qu'elle, il lui a fallu boire encore une grande tasse d'air pour se remettre d'aplomb; puis tout à coup :

« Tu n'as rien pour moi? »

Elle venait enfin de penser à la lettre que Romain

devait avoir pour elle, et lui, bien entendu, l'avait oubliée; mais alors il a été la chercher dans la poche de sa veste, il l'a tendue à Victorine, qui sortit en courant, tandis que le Président entrait...

Le Président, de son côté, avait questionné Romain; il avait été tout content de voir qu'il ne s'était rien passé de grave.

« Je savais bien, disait le Président... C'est comme l'histoire du boûbe...

— Oh! disait Romain, parlant du boûbe, qu'est-ce que vous voulez? il avait l'ennui... Il pleurait tout le temps; le maître lui a dit : « Va-t'en chez toi, si tu « veux pleurer... » Pour ce qu'il faisait quand même! »

Et le Président a payé à boire à Romain.

« Parce que, disait-il, j'ai compris tout de suite que Munier avait cherché à grossir l'affaire pour me faire du tort; alors je ne suis pas fâché qu'on t'entende... »

Plusieurs de ceux du parti de Munier étaient, en effet, venus, sans en avoir l'air, aux nouvelles; d'autres étaient entrés par simple curiosité; maintenant la boutique était tellement pleine que beaucoup de personnes avaient dû rester dehors; et au fond de la salle à boire était Romain qui buvait, qui a bu encore, et qui parlait; — pendant qu'elle mettait vite sur la place restée blanche : « *Oh! je suis bien heureuse, car j'ai été tellement inquiète depuis l'autre jour, mais tu me dis que tout va bien là-haut, alors je te crois. Tu verras sur ce papier que tout va bien ici également, adieu. J'ai juste le temps de fermer ma lettre, merci de la tienne, mais quand viendras-tu? Tâche bien, n'est-ce pas? de venir de demain en huit, et, la fois suivante, c'est moi qui monterai...* »

Ne pouvant toutefois pas s'arrêter, mais il n'y avait plus qu'une petite place, alors elle a mis dessus :

« *Je t'aime bien, un gros baiser...* »

Romain ne se remit en route que vers les six heures;

pourtant, peut-être que s'il avait eu sa tête à lui, rien ne serait arrivé et il aurait pu encore à la rigueur être sorti des mauvais passages avant que la nuit fût venue; — mais justement il n'avait plus sa tête à lui.

A peine était-il arrivé dans la forêt que le souvenir de sa chasse inutile du matin lui était revenu dans ses fumées, l'humiliant; il avait de nouveau attaché le mulet à un tronc, lui disant, comme l'autre fois : « Tu n'as qu'à attendre »; puis le voilà qui va reprendre son fusil, bien qu'on n'y vît plus à vingt pas...

On s'explique du moins la chose de cette façon-là, car il ne reparut au village qu'un peu avant minuit, et on n'a jamais pu savoir exactement ce qui s'est passé. Mais, vers minuit, on a appelé sous les fenêtres du Président. Du premier coup, le Président fut réveillé à côté de sa femme. C'est Romain qui appelle le Président sous les fenêtres du Président : « Hé! là-haut », de toutes ses forces, parce que le vin ne devait pas l'avoir entièrement quitté encore et le vin ne connaît pas les ménagements.

« Qu'est-ce qu'il y a?

— Le mulet s'est déroché.

— Comment dis-tu? »

Puis, plus bas :

« Monte vite... Je vais t'ouvrir... »

Mais l'autre continuait à haute voix :

« C'est comme je vous dis, dans la gorge... Une pierre qui lui est arrivée dessus. »

Le Président, en chemise, courut ouvrir la porte à Romain; pas si vite toutefois que les voisins n'eussent tout entendu, et que Romain n'ait eu le temps de leur raconter, à eux aussi, son aventure :

« Une pierre, et à mon avis elle n'a pas roulé toute seule... L'endroit était trop bien choisi. »

Il a fallu que le Président vienne, le prenne par

l'épaule, le pousse dans la cuisine, dont il ferme la
porte à clef; puis, comme sa femme s'était habillée et
voulait venir, il ferme à clef la porte de la chambre;
il enferme sa femme dans la chambre à coucher.

« Tais-toi malheureux!... Parle plus bas. Tu sais
bien que j'ai des ennemis. »

Mais quoi faire, le malheur étant déjà public? —
et quoi faire ensuite, sinon aller voir?...

C'était à l'endroit d'une des barrières, à un de
ces endroits où la paroi de la gorge surplombe.

Ils étaient partis à plusieurs lanternes, avec des
cordes et des crocs, chacune des lanternes faisant une
tache ronde sur les pierres et la terre allant en arrière,
parce que c'est de nouveau une troupe en chemin,
mais on n'a rien pu découvrir. Il n'a pas été possible
de rien découvrir, ni du mulet, ni de sa charge,
même quand le jour fut venu et même quand un des
hommes se fut laissé descendre dans la gorge au bout
d'une corde.

On la lui avait attachée sous les bras; il disait :
« Attendez... Bon! vous y êtes?... Eh bien, allez-y... »
il se laissait aller quelques mètres. Puis, de nouveau,
il s'est laissé aller quelques mètres, passant d'une
saillie de roc à l'autre et jusqu'à ce qu'il fût arrivé à la
dernière, laquelle avançait singulièrement sur le lit
même du torrent; là, il a pu tout voir, c'est-à-dire
qu'on ne voyait rien.

Il y avait seulement cette eau verte, lisse, profonde,
cette eau morte, et qui vous donnait froid rien qu'à la
regarder; elle tournait lentement sur elle-même dans
les poches du roc, tout en se soulevant par place
comme quand le contenu d'une marmite se met à
bouillir.

L'homme, au bout de la corde, regardait; on lui
criait d'en haut : « Tu ne vois toujours rien? » —

« Non, rien. » — « Tu ne peux pas descendre davantage ? » — « Oh ! impossible... » Ils ont fini par le remonter.

Alors le Président avait dit à Romain :

« Il ne te faut pas faire d'histoires. Prends mon mulet. On arrangera l'affaire plus tard... On va faire une enquête, on verra bien qui est responsable. Mais, pour le moment, dépêche-toi ; ils doivent s'inquiéter là-haut... »

VII

Romain remontait, mais pas vite. C'était donc le dimanche matin ; son fusil, à cette montée-là, est resté dans sa cachette. Il montait avec la bête du Président et les provisions, du sel, du pain, du maïs, du fromage, qu'il avait achetées aux frais du Président ; mais, tout en remontant, il se voyait déjà comparaissant devant le juge, assis sur une chaise devant la table en sapin noir dans la chambre des jugements, parmi les pierriers, parce qu'il était arrivé dans les pierriers. Et ce qui ne lui donnait pas non plus envie d'aller plus vite, c'était la réception qu'il pensait bien qu'on lui ferait là-haut.

Pourtant rien ne se passa comme il avait prévu. Il était midi passé quand il arriva au pâturage. Il sortit lentement de derrière le bord de l'étage.

Il sort d'abord seulement la tête et, de dessous l'aile de son chapeau, il regarde ; il voit qu'il n'y a personne devant le chalet, personne aux alentours.

La tête du mulet sort à la suite de la sienne, lui sort tout entier : toujours personne, ni sur la porte du chalet grande ouverte, ni plus en avant de la porte, ni nulle part dans le pâturage.

Romain continua à avancer. Il a fallu qu'il poussât beaucoup plus loin, il a fallu qu'il ne fût déjà plus qu'à une centaine de mètres du chalet pour qu'alors il ait vu Joseph sortir en courant de l'abri aux bêtes avec un seau qu'il va remplir à la fontaine, puis qui rentre toujours courant avec son seau, sans même avoir tourné la tête vers Romain.

Plus personne. Romain monte encore un peu. Au bas de la dernière montée, le chemin tourne, attaquant la pente de front; ainsi on se trouve faire face au chalet; c'est là que Romain a pu enfin apercevoir, dans l'abri aux bêtes, le maître, puis Joseph, puis le neveu du maître, puis Barthélemy, qui étaient tous ensemble dans l'abri, et se penchaient l'un après l'autre sur quelque chose qu'on ne distinguait pas, tandis qu'il y avait avec eux, dans l'abri, contrairement à l'habitude, plusieurs bêtes.

Romain avait commencé à comprendre et avait déjà compris à moitié, quand le maître en se déplaçant a laissé voir un seau qui était posé à terre; alors Romain comprend encore mieux, parce que le maître avait pris la patte d'une des bêtes, pendant que Joseph tenait le seau...

« La maladie! »

Le mot avait été écrit tout à coup dans la tête de Romain, et il lut le mot dans sa tête, puis s'arrêta net, dans le même moment que le maître, l'ayant enfin vu venir, lui criait : « Halte! » ayant tourné la tête vers lui sans se redresser.

« Reste là... Bouge plus... Laisse le mulet où il est... »

Sans même avoir pris garde, semble-t-il, que le mulet en question n'était plus le sien et qu'on le lui avait changé (de taille, de robe, d'âge, de tout), les autres de leur côté n'ayant fait que lever distraitement la tête pour la baisser de nouveau tout de suite.

« Tu vas vite redescendre et puis tu diras... Tu diras à Pont de monter. Avertis tout le monde pour qu'on ne vienne pas avant que Pont... Ah! malheur... Si c'est ça... Mais Pont verra bien; alors descends vite... »

Tournant de nouveau vers Romain une figure toute changée, pendant qu'il hochait la tête :

« Il faut qu'il monte demain matin. »

Romain ne pouvait déjà plus l'entendre, s'étant remis en route pour son cinquième ou sixième voyage, mais il ne sentait pas la fatigue tant la nouvelle était d'importance. Et il se trouvait, en outre, qu'elle arrangeait tout pour lui.

Il pouvait être midi. Le ciel faisait ses arrangements à lui sans s'occuper de nous. Dans le chalet, ils ont essayé encore d'ouvrir la bouche aux bêtes suspectes, empoignant d'une main leur mufle rose, introduisant les doigts de l'autre main entre leurs dents, tandis qu'elles meuglaient; là-haut, le ciel faisait ses arrangements à lui. Il se couvrait, il devenait gris, avec une disposition de petits nuages, rangés à égale distance les uns des autres, tout autour de la combe, quelques-uns encapuchonnant les pointes, alors on dit qu'elles mettent leur bonnet, les autres posés à plat sur les crêtes. Il n'y avait aucun vent. Le ciel là-haut faisait sans se presser ses arrangements; peu à peu, on voyait les petits nuages blancs descendre. De là-haut, le chalet n'aurait même pas pu se voir, avec son toit de grosses pierres se confondant avec celles d'alentour, et les bêtes non plus ne pouvaient pas se voir, tandis qu'elles s'étaient couchées dans l'herbe et elles faisaient silence. Il y avait que le ciel allait de son

côté, nous, on est trop petits pour qu'il puisse s'occuper de nous, pour qu'il puisse seulement se douter
qu'on est là, quand il regarde du haut de ses montagnes. Les nuages glissaient toujours aux pentes d'un
même mouvement à peine saisissable, comme quand
la neige est en poussière et qu'il y a ce qu'on appelle
des avalanches sèches. Les petits nuages blancs descendaient; — et lui, pendant ce temps, Joseph, était
sorti et allait dans le pâturage, mais qui aurait pu
le voir? Est-ce qu'il comptait seulement? N'étant
même plus un point, lui, parmi les gros quartiers
de rocs, qu'il contournait; non vu, non entendu, vu
de personne, entendu de personne; n'existant même
plus du tout par moment, parce qu'il disparaissait
dans un couloir. Il longeait le torrent, sur le bord
duquel se trouvent les plus gros des quartiers de roc
tombés autrefois des parois (et ils continuent à tomber),
semblables à des maisons sans toits et sans fenêtres,
laissant entre eux d'étroites ruelles tortueuses et
faisant là comme un autre village en plus petit. Mais
il n'y avait ni enfants, ni femmes, ni hommes, ni
bruit de voix, ni bruit de scie, ni bruit de faux, ni
cris de poules, ni quand on plante un clou, ni quand
on rabote une planche; et, portant ses regards autour
de lui, Joseph continuait à se faire mal aux yeux à des
pierres, à toujours des pierres, à rien que des pierres;
et à toujours personne, et à cette absence de tout
mouvement et de tout bruit. Rien que des pierres,
avec un peu de gazon par place, quelques buissons,
les hautes tiges des gentianes; rien que des pierres et
l'eau qui est comme un serpent qui rampe; parue, dis-
parue, reparaissant. Il allait sans trop savoir où il
allait. Il se disait : « Je ne vais plus pouvoir descendre,
elle ne va plus pouvoir monter et on va être séparés,
on va être complètement séparés... »

Il a été entre deux nouveaux quartiers de roc, puis il en sort et l'eau se montre de nouveau à côté de lui, faisant bouger son dos : « Et Dieu sait combien de temps on va être séparés... »

Sentant venir sa petitesse en même temps que le malheur venait, et la menace du malheur était partout autour de lui à ces parois, parmi ces pierrailles là-haut, l'énormité des tours, des cheminées, des vires, tout ce mauvais pays d'ici, puis : « Pourquoi est-ce que j'y suis venu ? Elle ne voulait pas que je monte. Si seulement je l'avais écoutée », — pendant qu'il allait toujours sans savoir où il allait. « Oh ! elles voient plus loin que nous, elles savent mieux voir que nous... Et, à présent, où es-tu ? petite ? toi que je n'ai pas écoutée. »

Ça lui chantait tristement dans le cœur, tandis qu'il tenait la tête baissée : « Sans quoi, on serait ensemble et aujourd'hui on aurait été se promener ensemble ; et, à présent, on rentrerait, parce que tu aurais dit : « Il va pleuvoir. »

Il disait : « Où es-tu ? Tu es toute seule, où es-tu ?... » Voilà que Romain va arriver, ce grand fou ; je l'entends d'ici : Vous ne savez pas ? ils ont la maladie là-haut ! Joseph entendait Romain crier tout haut la nouvelle. Elle est dans la cuisine ; son père doit être assis sur le banc devant la maison ; alors elle se penche par la fenêtre et dit : « Qu'est-ce qu'on entend ? »

La voyant très bien d'où il est, qui se penche par la fenêtre, et son vieux père, qui est assis sur le banc, se lève, allant jusqu'au milieu de la rue dans ses habits du dimanche.

Lui, d'où il est, voit tout ; il voit la rue, il voit le bout de la rue, il voit dans le bout de la rue une poule effrayée qui se sauve en battant des ailes, parce qu'une femme vient en courant ; puis la femme monte l'es-

calier : « Maurice! » appelant son mari qui sort :
« Ils ont fait demander à Pont de monter... C'est
la maladie.

— Pas possible! »

Lui voit tout, et, elle, qu'est-ce qu'elle va dire? Il
a recommencé alors à la chercher des yeux, il ne la
trouve plus. A ce moment, une vue toute mélangée lui
est venue où une grosse pierre apparaît devant un
des bancs du village, et le banc s'en va. Un person-
nage, des figures sont effacés, ils prennent une couleur
grise, ils s'usent. Les personnages, les figures sont
effacés; devant Joseph comme du linge qui a trop
servi; alors Joseph a connu de nouveau qu'il était
dans un lieu où il n'y avait plus personne; la séparation s'est refaite de lui à elle et de lui à là-bas; il
a été parmi les pierres de plus en plus nombreuses
qui viennent s'entasser et se mettre les unes sur les
autres à sa droite comme à sa gauche; puis quelque
chose devant lui l'a obligé à faire halte.

Il vit qu'il était arrivé dans le fond du pâturage;
là, le chemin était barré. Là il fallait qu'on levât la
tête, qu'on la levât davantage encore, qu'on la ren-
versât tout à fait.

Et, tout là-haut, les yeux touchaient finalement à
une espèce de brouillard pâle faisant suite à un ciel
comme de la terre mouillée; puis, en retour vers vous,
venait le glacier, ainsi voilé dans sa partie supérieure,
mais pas plus bas, de sorte qu'il éclairait en vert par
places et en bleu à d'autres. Partout où la neige tenait
encore, il éclairait en vert; ailleurs la glace était à
nu et elle avait une couleur comme celle qu'on voit
quand on regarde à travers un morceau de verre bleu.
C'était dressé, en même temps que ça tombait; ça
venait vers en bas en même temps que c'était immobile : une cascade de mille mètres et plus, changée

en pierre, mais ayant encore ses remous, ses bouil-
lonnements, ses surplombs, ses élans en avant, ses
brisements, ses repos; et, enfin dans le bas, elle reprenait sa course, sous la figure du torrent craché là
par une dernière crevasse, entre deux sortes de larges
griffes blanches frangées de noir.

Tout le glacier qui était là, ayant barré le chemin
à Joseph, alors Joseph renverse encore la tête, il la
ramène vers en bas, il la renverse de nouveau : et
de nouveau venait cette énorme chose pas vraie, qu'on
ne pouvait pas comprendre, ne produisant rien, ne
servant à rien, comme si on était arrivé au bout de la
vie, au bout du monde, au bout du monde et de la
vie.

Joseph recommençait à faire monter ses yeux, à les
faire descendre : il lui semblait que s'il tournait seulement le dos le glacier allait se mettre en mouvement
pour de bon et lui sauter dessus par-derrière. Il ne pouvait plus aller en avant, il n'osait pas revenir sur ses
pas; alors l'éclairage devant lui a changé une fois de
plus, parce qu'il pâlissait, et on a commencé à entendre
tomber des pierres. On entendait aussi par moment
des craquements comme quand un homme couché
fait craquer le sommier de son lit. Puis les pierres ont
recommencé à rouler et elles roulaient à la gauche de
Joseph, tandis qu'il aurait voulu s'en aller et il n'osait
pas; il ne voulait pas s'en aller et en même temps il
voulait; — pendant que les pierres roulaient de nouveau.

Il regarde si ce ne serait pas quelque chamois, quelque bête sauvage (car il y a des marmottes, il y a
même des renards à ces hauteurs, parfois il y a le
lièvre des neiges qui est blanc), — un reste de vie qui
ferait du bien, tellement tout est mort ici; il regarde
de la tête sans remuer le corps, tournant seulement la

tête sans se déplacer; c'est alors qu'il a vu un homme,
si c'est bien un homme, qui bouge là-haut dans les
pierriers, un homme couleur de pierre qui a été
caché derrière un bloc, puis est venu sur le côté du
bloc, se dédoublant de lui, tandis que des cailloux
éclatés, comme ceux que les cantonniers cassent à
coups de masse, viennent en bondissant par petites
rroupes du côté de Joseph.

Une personne avec des habits, un homme, il semble
bien, mais un homme couleur de pierre, un homme
pareil à une grosse pierre qui viendrait; alors Joseph
regarde mieux, regarde plus fort, tandis qu'il a envie
de se sauver et ne peut toujours pas; et puis alors il
voit qui c'est, mais il se dit : « Pas vrai! » il se dit :
« Pas possible! comment serait-il ici?... » Puis, quand
même, c'est bien lui... que oui...

Joseph voit qu'en effet c'est Clou, car au même
instant Clou l'appelle :

« C'est toi, Joseph? Attends-moi. »

Bien que Joseph n'ait toujours pas bougé, tandis
que Clou vient; maintenant on voyait sa veste où
il y avait deux grosses poches qui étaient pleines :

« Qu'est-ce que tu fais là, Joseph? »

Il avait une grosse veste grise et carrée ayant la
forme d'un de ces rocs qui l'entouraient et d'entre
lesquels il était sorti, ayant leur couleur; alors il a
semblé rouler vers nous comme un de ces gros cailloux qu'il faisait rouler.

Puis il s'arrêtait.

« Moi, tu comprends, c'est le métier... Et puis, j'en
ai. »

Il continue :

« Mais toi? »

Car aucune réponse n'était venue.

Puis il se remet à descendre :

« Ou bien si c'est que le goût t'en viendrait ? »

Alors on l'entendit rire, parce qu'il s'était arrêté de nouveau et les pierres en roulant les unes sur les autres, en se heurtant, en se frottant, semblaient se mettre à rire aussi.

Et Clou vint de nouveau, pendant que Joseph n'avait toujours pas bougé; Clou a été là, il se tenait un peu au-dessus de Joseph, il était éclairé sur son côté gauche. Il était éclairé en vert sur la petite moitié de sa figure, celle qui n'avait pas d'œil, et la grande moitié était dans l'ombre, de sorte qu'on ne pouvait pas savoir si son bon œil vous regardait ou non. Il était là, il disait :

« Tu entends ?... »

Il tapa sur ses poches, il tapa sur les gros sacs que faisaient ses poches, en bas et de chaque côté de sa veste, et qui tendaient le drap sur les épaules, les faisant aller en avant; faisant aller en avant tout son grand corps, faisant aller en avant son long cou maigre; — il tapa sur ses poches, elles firent entendre un bruit :

« C'est vrai ? Ça te dirait ? j'en ai, tu sais... »

Il rit.

« Tu as bien raison : on n'aura qu'à partager. »

Il baissait la voix.

« C'est qu'ils sont foutus, au chalet... C'est la maladie. Moi, ça m'arrange assez, mais, toi, qu'est-ce que tu vas faire ? »

Il a fait encore un pas, il regarde autour de lui, comme si on avait pu l'entendre; puis, baissant la voix :

« Sais-tu ? tu vas venir avec moi... Tu m'aideras. Il y a des places où il faudrait être deux. Il faudrait s'y laisser descendre, tu tiendrais la corde; il faudrait aussi pouvoir creuser... Parce qu'il y en a, tu sais... »

Il regarda de nouveau tout autour de lui, une fois et encore une fois, à droite et à gauche, en haut et en bas; il a mis la main dans la poche, il l'en sort : elle était pleine. C'était du côté éclairé, alors elle a été éclairée, et ce qu'il y avait dedans était éclairé : ça a brillé devant Joseph, ça a brillé dans la grosse main noire, avec des feux blancs, des feux verts, des feux violets :

« Tu vois... Et puis, tu sais, ce n'est pas tout... Il y a de l'or... Je sais les places... Dis donc, Joseph... »

S'approchant encore de Joseph, mais alors Joseph a commencé à reculer; et, quand Clou faisait un pas en avant, Joseph faisait un pas en arrière :

« Et dès qu'on en aura en suffisance on s'en va. On passe par les cols. On les laisse crever où ils sont. On les laisse crever avec leurs bêtes; nous, on passe par les cols avec notre belle provision qui vaudra cher dans les villes. Et on partage le bénéfice... Et toi, tu as une fiancée; alors, avec de l'argent, on peut tout. Tu lui écriras de venir. »

Il venait en avant, il faisait un bruit avec ses pierres; tout à coup Joseph n'a plus été là.

Il avait fait demi-tour, et l'autre, maintenant, dans le dos de Joseph :

« Tu ne veux pas? C'est comme tu voudras. Et puis tu vas avoir le temps de réfléchir... »

Il riait encore.

« Tout le temps de réfléchir, et plus encore qu'il n'en faut... Tu n'auras qu'à venir me dire... »

Il a ri plus fort.

« Mais tu es bien pressé... Attends-moi... Je vais du même côté que toi, on rentre ensemble. »

Joseph courait toujours. Il courut un grand moment encore, puis il s'arrêta, il regarda derrière lui; sur quoi, il courut de nouveau.

Sur quoi, il s'est arrêté; il a regardé derrière lui;
on ne voyait plus personne, on voyait seulement que
le ciel était descendu encore, masquant à présent
le glacier jusque dans le milieu de sa pente; alors
Joseph a pensé au troupeau qu'il faudrait rentrer,
puis il pense qu'on ne va pas pouvoir le rentrer, à
cause des bêtes malades, se dirigeant, pendant ce
temps, du côté où étaient les sonnailles, qui venaient
de temps en temps à votre rencontre par un coup
isolé, puis un coup, puis encore un coup.

Justement, il voit le maître et son neveu qui s'avançaient de son côté; et le maître :

« Où étais-tu? je te cherchais. »

Puis le maître :

« Qu'est-ce qu'il faut faire? C'est le mauvais
temps. »

A peine s'ils se distinguaient l'un l'autre dans
l'air qui noircissait déjà, se pénétrant rapidement
d'une espèce de fausse nuit qui venait avant la vraie.

« Ah! mon Dieu, qu'est-ce qu'il faut faire?... »

Cependant ils avaient commencé à pousser le
troupeau vers le chalet; alors le maître a dit :

« Tant pis, on le laissera dehors sous la roche. »

Il a dit à son neveu :

« Cours en avant. Tu fermeras l'abri avec des
planches, pour empêcher les bêtes qui y sont d'en
sortir. »

Déjà ce soir-là, il y eut une querelle entre le maître
et Clou; beaucoup plus tard, quand Clou rentra.

D'abord Clou avait été sans rien dire dans la
chambre où était son lit; on l'avait entendu qui
vidait ses poches dans un sac.

Il a vidé ses pierres dans un sac, sur son lit où il
allait y avoir de la place pour toutes les pierres et

tous les sacs qu'on voudrait, puisque le boûbe n'était plus là, et que Romain non plus n'était plus là; alors Clou ne se gênait pas pour vider ses poches à grand bruit.

Il vint s'asseoir devant le feu un moment après. Ils n'étaient plus que cinq, lui compris. Ils se tenaient autour du feu. Le maître avait la tête dans les mains. Il l'a levée quand Clou est arrivé; il a regardé Clou avec une figure toute changée; puis :

« Est-ce que vous vous moquez de moi, vous? »

Une figure toute changée et toute tirée, où il semblait que la moustache ne tenait plus bien et allait tomber :

« Si vous croyez que c'est pour que vous vous promeniez qu'on vous paie... quand justement on n'est plus que cinq hommes... Cinq hommes, et trois bêtes malades... »

Mais il se tut soudain, parce que Clou le regardait.

Clou était venu s'asseoir à sa place habituelle qui était de l'autre côté du foyer, vis-à-vis celle du maître; et, s'étant donc laissé tomber là sur le banc tout en allongeant les jambes avec un soupir, voilà qu'il avait simplement levé ensuite la tête vers le maître, qui avait détourné les yeux, et s'était tu...

Il pleuvait à grosses gouttes; l'eau, s'étant frayé un passage entre les pierres plates qui couvraient le toit, tombait autour de vous sur la terre battue.

Il y avait sur le toit un bruit comme si on marchait sur le toit; à l'intérieur du chalet, il y avait un petit bruit comme si on parlait à voix basse.

Il y avait aussi le vent qui se levait.

Entre les coups de vent, on entendait meugler les vaches dans l'abri.

Et Clou, alors, a commencé :

« Dites donc, Barthélemy, vous l'avez toujours, votre papier ?... »

Mais, à ce moment, le maître s'est mis debout, il a été prendre dans la chambre où on couchait le falot-tempête ; il est revenu avec le falot-tempête.

« Parce qu'il me semble, disait Clou, qu'il va bientôt pouvoir servir...

— Oh ! je l'ai, dit Barthélemy, ayant été le chercher de nouveau avec la main sous sa chemise.

— Bon ! » dit Clou, et Clou riait...

Le falot-tempête était allumé. Le maître, le tenant à la main, se dirigea vers la porte. Il arriva à la porte. Le maître tendit le bras pour ouvrir la porte. Le vent soufflait.

Le maître tend le bras pour ouvrir la porte, mais il ne l'a pas ouverte. Il se tourne vers son neveu :

« Dis donc, viens avec moi. Il faudrait aller voir ce que font les bêtes. »

Voilà que Clou riait de nouveau, pendant qu'on voyait que le neveu hésitait à obéir, mais alors Joseph s'était levé, de sorte que le neveu se leva aussi...

Le vent en entrant souffla sur la cendre du foyer qui est montée comme des flocons de neige, faisant un nuage blanc contre le fond de la paroi verni en noir. La grande flamme se pencha dans toute sa hauteur vers le mur du fond ; Barthélemy, assis en face, n'a plus eu de figure.

Le maître, le neveu et Joseph venaient de sortir ; c'est alors que Clou a repris :

« Es-tu sûr au moins de ne pas le perdre ? Tu es sûr que le lacet est solide ? En as-tu un de rechange ?... »

La flamme s'était remise droite ; on a vu de nouveau Barthélemy, il hochait la tête avec étonnement :

« Non... »

VIII

Alors, le lendemain, Pont s'est mis en route avec
le garde, ayant un litre de forte eau-de-vie dans son
sac de soldat, ayant un voile noir dans son sac, une
vieille blouse, un pantalon de toile qu'il pouvait
passer par-dessus le sien, des souliers de rechange.

C'était un homme qui se connaissait particulièrement aux maladies des bêtes, et à cette maladie-là,
ce Pont; il monta donc avec le garde, et Romain
aurait dû être avec eux, mais on ne l'avait trouvé
nulle part.

Sans doute se cachait-il, sachant bien de quoi il en
retournerait pour lui, s'il montait, c'est-à-dire qu'il
ne pourrait plus redescendre.

Il faut comprendre qu'on n'a guère ici pour vivre
que le bétail. On n'a point de vignes, par ici; on
vit des bêtes. On n'a point de blé par ici, rien qu'un
peu de seigle et pas beaucoup, juste ce qu'il nous en
faut pour faire notre pain; à peine si on a des légumes
et des fruits : on vit de lait, on vit de viande; on vit de
lait, de petit-lait, de fromage maigre, on vit de beurre;
même le petit peu d'argent bon à mettre dans sa
poche qu'on peut avoir vient du bétail. Et cette mala-

die est une maladie terrible à laquelle on ne connaît
aucun remède. Elle se met d'abord dans les sabots
des vaches et dans leur bouche, puis la fièvre les prend,
elles maigrissent, elles perdent leur lait; elles crève-
raient bientôt, si on ne prenait les devants sur la
mort. Il y a ordre de les abattre sitôt que la maladie
est constatée, et il y a aussi des règlements pour les
enfouir; il faut que le trou ait deux mètres de profondeur au moins; on tâche ainsi à diminuer, sinon
à supprimer, les chances de contagion, malgré la
perte qu'on fait, mais il vaut mieux perdre quelque
chose que tout perdre. Et l'autre précaution qu'on
prend concerne les hommes, c'est-à-dire que le germe
de cette maladie est mystérieux, alors les hommes
mystérieusement l'emportent à leurs semelles, le
répandant ainsi dans toute une région si on les laisse
circuler; mais on ne les laisse pas circuler. On les
enferme avec les bêtes. Là où les bêtes sont atteintes,
les hommes restent prisonniers; tant que la maladie
n'a pas pris fin, ils sont comme supprimés du monde;
et c'est ainsi que, dès l'arrivée de Romain avec la
nouvelle (et bien qu'on ne fût encore sûr de rien), un
poste avait été établi en avant du village; pour le
cas où un des hommes du chalet aurait essayé d'échap-
per et de venir vite encore vous rejoindre, comme ils
sont toujours assez tentés de faire; un poste de quatre
hommes armés qu'on avait installés dans un fenil
bordant le chemin, le seul chemin praticable qu'il
y eût, heureusement; et défense avait été faite de
monter au chalet aussi bien que d'en descendre,
défense qui était valable pour les bêtes comme pour
les hommes, ne serait-ce qu'un chien ou un chat
(mais ils tirent comme on a vu souvent même sur les
chiens ou les chats)...

Toute la soirée, la salle à boire avait été plus que pleine, malgré le mauvais temps. On ne s'inquiétait ni du vent, ni de la pluie; on venait, on entrait; et puis on venait encore et on entrait. Le petit Ernest n'allait pas mieux; on n'arrivait pas à le réchauffer dans son lit. Les hommes venaient, malgré le grand vent et la pluie, pendant qu'il y avait cette maladie du petit Ernest, qui n'était pas une maladie ordinaire. Et voilà, à présent, que le bétail aussi était frappé, comme quand il y a eu les plaies d'Égypte dans la Bible, et il y avait eu dix plaies, et la cinquième fut la mortalité sur le bétail. Ils regardaient dans la nuit si l'eau du torrent n'était pas changée, ce qui a été la première plaie, puis venaient, prenant place à la grande table du milieu ou bien à une des petites qui étaient sur les côtés de la grande contre le mur. Ils se sont assis dans la fumée à laquelle ils ajoutaient toujours un peu plus avec leurs pipes; de sorte qu'elle leur pendait après le bras, quand ils levaient le bras; ils devaient la déchirer avec leur tête, quand ils avançaient la tête. On discutait plus qu'on ne buvait. Ils ont laissé le muscat reposer avec sa jolie couleur dans le fond des verres, où il balançait et penchait, à cause d'un coup de poing qu'on donne sur la table, et toute la table allait alors de côté comme quand on est dans une cabine de bateau. Le vent grondait derrière les vitres; il fallait crier pour se faire entendre, à moins qu'il n'y eût un silence, comme il s'en faisait parfois. Et c'est dans un de ces silences qu'on a entendu le vieux Munier qui disait :

« C'est que tu as voulu, Président, t'attaquer à plus fort que toi... »

La phrase servait sans doute de conclusion à un discours qu'il avait tenu, et qu'on n'avait pas pu entendre dans la fumée, parmi le vent, parmi les

voix, la grosse pluie, — puis un silence de nouveau
étant venu :

« A plus fort que toi... Et elle est méchante, quand
elle s'en mêle. »

Parlant sans doute de la montagne :

« Il y a des places qu'elle se réserve, il y a des
places où elle ne permet pas qu'on vienne... »

Le silence durait cette fois.

« Nous autres, on a l'expérience... Mais toi, Président, tu es d'entendement difficile et ton cœur est
fermé. Tu n'as pas voulu nous écouter ; et, à présent,
c'est trop tard... Il n'y a plus qu'à laisser faire, mais
c'est ta faute, Président. »

Tandis qu'il se tournait vers le Président, et tout
le monde continue un moment de se taire, pour voir
ce que le Président répondrait, car il était là, qui a
dit :

« Et puis quoi ? A-t-on voté ou non ?... Et est-il
même bien sûr que ce soit la maladie ? Est-ce qu'on
ne pourrait pas attendre ce que dira Pont ?... Et,
même si c'était la maladie, à supposer même que
ce soit ça, est-ce que ce serait la première fois qu'on
l'aurait par chez nous ?... Est-ce qu'ils ne l'ont pas
eue au Châble, et encore l'hiver passé à Entremont,
et à Eveneire ?... Dites, Munier, pour être juste. »

Parce qu'il sentait bien qu'il allait être abandonné.

« Et aux Chardonnes... (dans le bruit, dans le
grand bruit qui recommençait). C'est pourquoi je
vous ai dit : « Votons. » Et est-ce qu'on n'a pas voté
oui ? Est-ce que la majorité ne s'est pas prononcée ? »

Pendant que plusieurs hochaient la tête, parce
que le Président continuait à avoir des partisans
mais déjà moins nombreux :

« Et tout ce que j'ai fait, je l'ai fait pour bien
faire... »

Pendant qu'on entendait dehors, dans le silence, le bruit de la grande pluie et du vent; la pluie battait le toit, le vent sifflait derrière les vitres; alors on pensait : « Qu'est-ce qu'ils font là-haut, les pauvres? » mais le Président :

« Quand je voyais toute cette belle herbe qui se perdait depuis vingt ans et notre bétail mal nourri, et la pauvreté de la commune... J'ai fait pour le mieux. J'avais une occasion; je vous ai dit : « Vous êtes « libres, vous êtes libres de choisir. Si c'est non, dites « non, si c'est oui, dites oui... » Vous avez dit oui; je suis couvert. »

Le nommé Compondu a dit : « Il a raison », mais Munier secouait la tête. Et de nouveau le bruit a empêché de plus rien entendre de ce que le Président disait.

Ils se sont mis à parler tous à la fois; ils allaient en avant, ils allaient en arrière. Ils levaient le poing, ils le laissaient retomber. Le vin balançait dans les verres, le vin penchait dans les verres; la table penchait de nouveau, puis toute la salle et ses murs semblaient pencher dans l'épaisse fumée où les deux lampes à pétrole en cuivre étaient maintenant sous leurs globes comme deux petits yeux jaunes qui se fermaient; penchait, se redressait, comme dans une cabine de bateau. Ils se touchaient les uns les autres de l'épaule, étant soudés les uns aux autres par les épaules, à toutes les tables, d'un bout à l'autre, puis par moment tendaient le bras pour prendre leur verre, alors tout penchait de nouveau. La grosse Apolline est apparue entre les groupes, puis a disparu, allant et venant comme elle pouvait, parce qu'elle était appelée, mais il n'y a pas à s'y tromper. On sait, on sait bien, nous autres, ce que c'est, une fois que ça commence... On entre. Ils ont été interrompus, parce qu'on entre.

Ceux qui venaient d'entrer avaient de l'eau qui leur coulait sur la figure à travers l'aile de leur chapeau, tandis qu'il en restait une provision derrière le bord du feutre, et elle tombait en ficelles quand ils amenaient la tête en avant. Il y a eu encore ces quatre qui entrent avec leur fusil; c'étaient ceux du poste qu'on venait de relever, et ils fumaient avec leurs habits de grosse laine une vapeur dans la fumée... On sait bien, quand les malheurs viennent... Et ce mulet?... La porte s'est ouverte, s'est fermée. La porte s'ouvre, se ferme : il semble que toute cette mauvaise nuit cherche à entrer également; quelques-uns ont dit : « Fermez la porte!... »

« Ce mulet, est-ce naturel? As-tu vu Romain, toi?

— Non.

— Eh bien, moi je l'ai vu... Fermez la porte... »
Parmi le grand bruit :

« Et quand on est dans le malheur, on y est, comme ils disaient.

— Moi, je l'ai vu; il m'a tout raconté. Eh bien, tu sais, c'est une pierre... Tu connais l'endroit comme moi; alors, écoute bien, cet endroit, est-ce qu'il n'avait pas été choisi exprès?... Et, cette pierre, c'est quelqu'un... »

Parce qu'un malheur ne vient jamais qu'un autre ne vienne; les malheurs se marient entre eux, ils font des enfants, comme dans le Livre; — et on recommençait :

« Le sang, c'est d'abord... Le bétail, il vient au milieu... Ensuite, c'est qu'il fera nuit. »
Parmi le grand bruit :

« Et si seulement ils avaient fait ce que Barthélemy leur avait dit de faire, s'ils avaient seulement comme lui le papier... »

Parlant ainsi, et tous ensemble, puis l'un après l'autre dans la salle à boire, et longtemps après, sous l'averse; sortis par groupes de la salle, faisant des groupes dans les rues; faisant des groupes devant les maisons, sur les escaliers, sous la pluie; alors le sommeil n'est guère venu, il n'a guère été avec nous, cette nuit-là, qui se trouvait être justement une des plus courtes de l'année, une de ces nuits du commencement de juillet qui sont finies à peine commencées.

Et déjà il a fallu aller gouverner les vaches restées au village; puis c'est que Pont aussi faisait ses préparatifs de départ.

On l'a vu mettre sur son dos son sac de soldat bien rempli, tandis que son bâton ferré était posé debout contre le banc.

Il prit son bâton. On voyait que le sac bombait sous le poil et le bombement faisait que le poil, dans le milieu du couvercle, allait en avant. Le garde avait une hotte.

Il faisait du brouillard, mais il ne pleuvait plus.

On a vu Pont s'avancer avec le garde dans la rue mouillée; puis, étant arrivé entre les deux dernières maisons, là on l'a vu encore soulever de la main ce rideau qui retombe.

Le rideau du brouillard retombe sur Pont qui n'a plus été vu, ni le garde; — de sorte qu'elle, non plus, personne ne put la voir, parce que c'était beaucoup plus loin sur le chemin qu'elle guettait Pont, s'étant levée avant tout le monde; puis est venue à la rencontre de Pont de derrière un buisson où elle s'était tenue cachée.

« Oh! s'il vous plaît... Oh! s'il vous plaît... »

Mais il n'a rien voulu entendre.

« Rien du tout. »

Une lettre qu'elle lui tendait, sachant bien que l'autre, celle qu'elle avait remise à Romain, n'était pas arrivée à destination; mais Pont :

« Si tu crois que j'ai le temps de m'occuper de vos amusettes... Et puis, aujourd'hui... »

Il disait à Victorine sévèrement :

« Je ne te comprends pas, une grande fille comme toi... »

Alors elle est restée là avec sa lettre, tandis qu'il passe, il est déjà passé, il ne s'est même pas arrêté; il est déjà à un bon bout d'elle sur le chemin où il s'efface, il pâlit de couleur, il fond peu à peu sur ses bords, et le garde fond sur ses bords... Après quoi, un peu plus haut encore, venait le poste.

Une montée de nouveau dans la montagne, mais longtemps, ce matin-là, il n'y a rien eu, autour des deux hommes : ni sommets, ni tours dans le ciel, ni rocailles plus près de vous, et à peine, de la forêt, quelques troncs laissés debout comme pour la figurer; quelques troncs d'un côté du chemin, et tout juste le dessus de la gorge de l'autre, parce que plus bas elle était bouchée comme par un dépôt de vase.

Une montée encore sur le chemin dans la montagne : mais elle s'est faite d'abord dans rien du tout. Peu à peu, pourtant, Pont et le garde s'étaient élevés; finalement, ils étaient sortis de la forêt : là ils ont mis leur tête, ils ont mis leurs épaules hors de la couche du brouillard et de sa croûte. Un peu de vent qui commençait à souffler leur apporte d'en haut des crêtes une légère vapeur comme quand la neige sèche vient à vous de derrière un talus. On a vu les crêtes continuer à fumer vers eux pendant qu'ils s'attaquaient aux lacets; ensuite, c'est toute la masse

des nuées qui a commencé à se fendiller, qui a commencé à bouger, à se balancer dans l'air devenu
plus chaud. Et eux-mêmes montaient les lacets, quand,
tout à coup, les vapeurs sont montées, partant de bas
en haut devant eux comme des ballons, à travers
l'espace de l'air. La crête du pâturage s'était donc
trouvée inoccupée quand Pont et le garde l'eurent
atteinte; en arrière de la crête, le pâturage lui aussi
s'offrait aux yeux dans toute son étendue. Tout de
suite, Pont et le garde avaient pu voir et être vus,
et ils avaient pu voir qu'ils étaient attendus; — car il
y avait trois hommes devant le chalet, puis deux
autres, qui étaient le maître et son neveu, sont sortis
du chalet; et, en signe de plaisir, le maître a levé le
bras, tout en étant déjà parti pour aller à la rencontre
de Pont.

Seulement, là s'est marqué le changement qui était
survenu, là se marque la séparation qui était maintenant entre ceux de là-haut et nous, car première-
ment Pont s'arrête; Pont s'est arrêté net, il fait un
geste. Il a porté sa main en avant pour dire : « Reste
où tu es », au maître, et aux autres : « Restez où
vous êtes, sans quoi je m'en vais »; un simple geste
qu'il fait, et le maître a dû comprendre.

En effet, il ne bouge plus.

Alors Pont repart; le maître ne bouge toujours pas,
ni les autres. Pont s'avance de nouveau, ceux qui sont
devant le chalet le regardent venir sans faire un mouvement.

Ainsi ils ont vu Pont venir un peu, puis Pont s'est
assis. Arrivé à une petite distance du chalet, Pont
s'assied; il ôte ses souliers. Le garde sortit de la hotte
une paire de vieux souliers.

Ceux du chalet regardaient de devant le chalet;
ils voient Pont sortir de son sac un pantalon de toile

tout rapiécé qu'il passe par-dessus le sien; ensuite, il met les souliers que le garde lui tend.

Eux là-bas regardent : Pont s'est mis debout. Pont s'était mis debout, il passe par-dessus sa veste une blouse. Et ce n'est pas tout encore, car, l'instant d'avant, il était nu-tête; mais maintenant ceux du chalet ont senti le cœur leur faiblir, tandis qu'ils sont devenus gris, à cause du sang qui se retirait de leurs visages à la peau cuite.

C'est que Pont venait de nouveau, et eux se retenaient difficilement de prendre la fuite; car, au lieu de chapeau, c'est sous un voile noir que Pont venait, l'ayant fixé soigneusement sous son visage et par derrière; et le voile lui tombait plus bas que la taille, de sorte que seules les mains en sortaient, couvertes de gros gants de cuir.

Un voile de tulle noir comme ceux qu'on met pour aller lever le miel et quand on va déranger les abeilles; grâce à quoi il pouvait maintenant approcher et Pont approchait, approchait toujours plus, puis on a vu sa bouche s'ouvrir derrière le voile; — alors une des bêtes malades avait commencé à meugler longuement dans l'abri, et, derrière le voile, la bouche de Pont s'est ouverte :

« Vous ne les avez pas mélangées avec les autres au moins ?... Bon! »

Ses yeux étaient blancs, c'est-à-dire qu'on n'en voyait plus que le blanc.

Ils ont dû se tenir de toutes leurs forces à la place où ils étaient pour ne pas vider les lieux, pendant que la figure de Pont grandissait toujours, leur venant contre; ils ont réussi pourtant à demeurer; et, à présent, c'étaient aussi les questions de Pont qui venaient, ne s'étant pas informé d'eux, mais seulement des bêtes : combien il y en avait de malades ?

à quel moment on s'était aperçu de quelque chose ? maintenant arrivé, et allant devant vous, s'étant dirigé tout de suite vers l'ouverture de l'abri, pendant que le maître suivait et les quatre autres suivaient le maître.

Puis plus rien, tout un grand moment ; plus personne tout un grand moment, sauf le garde assis là-bas à côté de la hotte ; et le ciel entre les crêtes continuait d'aller très vite de droite à gauche avec son courant...

C'est Pont qui est reparu le premier ; il se retourne.

« Vous les abattrez toutes les trois ; c'est compris ? »

Il a fait quelques pas sur le chemin, il a commencé à descendre le chemin, il s'est retourné encore :

« Les provisions, on les mettra tous les quinze jours au Scex Rouge, sous la roche... »

Le ciel continuait d'emporter, là-haut, dans son courant, les petits nuages qui allaient tous dans le même sens, avec la même vitesse ; comme quand on déblaie la neige et on la jette par pelletées dans le ruisseau.

« C'est bien entendu ?... » disait Pont.

Il vient toujours en sens inverse sous son voile ; et eux là-bas regardent, l'un à côté de l'autre ; ils sont sortis à leur tour de l'abri, ils regardent, avec les bras qui leur pendent le long du corps, Pont, qui a rejoint le garde, s'assoit, ôte d'abord ses souliers qu'il jette loin de lui, puis le pantalon de toile, jette le pantalon de toile qui tombe à côté des souliers ; ôte ses gants.

Et, pendant que Pont ôte son voile et sa blouse, le garde tire du sac une bouteille pleine d'un liquide sans couleur ; il en verse une partie sur les mains de Pont qui se les frictionne longuement et le bas des bras et les poignets ; puis s'en lave le visage, la bouche, la moustache.

Puis se lève, reprend son sac, et le garde sa hotte ; — et les deux s'en vont.

Il n'y avait déjà plus sous le ciel et dans toute l'étendue du pâturage que le petit tas fait par les habits, les souliers et le voile abandonnés au bord du chemin ; pendant que les deux hommes deviennent petits, puis encore une fois la voix de Pont vous arrive.

« Ah ! j'oubliais... »

Montrant les vêtements :

« Il vous faudra brûler tout ça... »

Ils avaient été prendre la hache à long manche dont ils se servaient pour fendre les troncs. Ils ont donné le coup avec le dos de la hache entre les cornes.

Ils ont tiré les trois bêtes hors de l'abri. Ils les ont d'abord amenées toutes les trois devant l'abri où elles bougeaient encore faiblement, et tantôt c'était une des jambes de derrière, tantôt l'oreille, tantôt c'était aussi la peau de leurs flancs qui se plissait comme si elles avaient eu des mouches ; mais, leur ayant passé la corde autour de l'avant-train, ils ont recommencé à tirer dessus, ils se mirent à traîner les bêtes jusqu'à un endroit choisi par eux comme étant un des mieux pourvus de terre, vu que, presque partout ailleurs, la roche affleure ; ils les amenèrent là successivement, toutes les trois, avec peine, c'est maintenant la seule espèce d'occupation qu'on ait ; ne s'arrêtant que pour essuyer avec le bras leur front où il y avait une source de sueur intarissable. Ils avaient empoigné cependant le pic et les pelles. Ils firent un seul grand trou carré, descendant le plus profondément dans la terre qu'ils pouvaient, mais, dès les premiers coups, le pic a commencé de jeter du feu. Il fallut tailler dans le roc et en désagréger les blocs en introduisant dans leurs fissures la dent du pic.

Ainsi, ils allèrent encore tant qu'ils purent (c'est à présent l'espèce d'occupation qu'ils ont); puis ils se sont interrompus un moment dans leur besogne pour souffler; alors, s'étant tournés par hasard vers le chalet, ils ont vu Clou qui en sortait.

Clou qui sortait du chalet avec son habit à larges poches et il leur faisait signe de la main : « Au revoir », comme quand on se met en voyage.

Pont, cependant, redescendait. Il est arrivé en avant du poste; le poste l'a arrêté.

On l'a vu de loin hocher la tête : et tout le monde dans le poste a aussitôt compris que « ça y était », comme ils disent, pendant que Pont venait, mais la nouvelle avait pris les devants.

Il y a eu comme quand une mécanique se met en branle : un mélange de pleurs d'enfants, de cris de poules, de semelles à clous, de voix et, par là-dessus :

« La maladie! »

Un bout de phrase toujours le même qui revenait continuellement, qui était jeté d'une porte à celle d'en face, de la rue à un des perrons, d'un de ces perrons au suivant :

« La maladie! La maladie! »

D'une fenêtre à une autre fenêtre, d'une rue à une autre rue, de ce bout-ci du village à l'autre bout, — tandis que le Président était allé à la rencontre de Pont, puis il laisse tomber sa tête en avant.

Toute cette fin d'après-midi, et toute la soirée encore, on avait continué d'aller et venir sous la fenêtre de Victorine. Sa chambre était une petite

chambre située sous l'angle du toit, du côté de la rue,
et elle se tenait dans sa chambre pendant qu'on
allait et venait sous sa fenêtre. A présent, partout
les lampes étaient allumées dans les cuisines; elle
aussi, avait allumé la sienne, et, sur la petite table de
sapin, il y avait une feuille de papier quadrillé, un
porte-plume verni en rouge avec une plume à la
rose, une bouteille d'encre violette; il y avait aussi
une enveloppe avec un nom écrit dessus.

On disait dehors :

« Ce qu'il y a peut-être de plus inquiétant et ce qui
semble bien prouver que Munier avait raison, c'est
que dans les deux autres chalets... »

On avait été voir, en effet, dans les deux autres
chalets de la commune, et tout y allait comme à
l'ordinaire.

« S'il y avait la maladie ailleurs, continuait-on
sous la fenêtre, la chose s'expliquerait. Mais il n'y a
que Sasseneire... Ce n'est pas naturel. »

Car la maladie n'était rien encore, n'étant qu'un
signe et qu'un commencement, comme on pensait;
ce qui faisait peur, sans qu'on osât le dire, c'est ce qui
viendrait par la suite.

« Ils pourraient bien finir, une fois ou l'autre,
disait-on, par redescendre; faisons attention qu'ils
n'arrivent pas tout à coup chez nous avec le troupeau
et la maladie... »

Comme elle entendait, puis il y avait qu'on s'en
allait, mais on venait de nouveau, l'instant d'après.

« Il a voulu donner sa démission. »

C'est du Président qu'on parlait.

« Mais on lui a dit : « Ce serait trop commode.
« C'est vous qui êtes responsable, alors c'est à vous
« de payer... »

Et maintenant Victorine entend que ses deux

frères sont arrivés; ils parlent dans la chambre du
bas avec son père; ses deux grands frères, mariés
tous les deux; après quoi, on monte encore le perron,
on heurte; c'est une femme.

« Avez-vous vu Pont? Est-ce que Pont l'avait
vu?

— Bien sûr.

— Est-ce qu'il allait bien?

— Je crois que oui.

— Et vous ne savez rien de plus? »

La mère de Joseph, cette fois, qui vient elle aussi
aux nouvelles; et Victorine entend son père qui
répond :

« Que voulez-vous qu'on sache d'autre? On a fait
tout ce qu'on a pu. Il ne nous reste plus qu'à
attendre.

— Et Victorine?

— Elle est couchée.

— Ah! mon Dieu!... Enfin, bonne nuit.

— Bonne nuit. »

Victorine ne s'était pas montrée, parce qu'elle
pense trop à une chose, toujours la même, devant sa
plume et son encrier.

Encore une porte qui s'ouvre. Plus loin, dans le
bas de la rue, derrière les fenils, plusieurs hommes
discutent à haute voix, sans qu'on comprenne. « Oh!
comment est-ce qu'on va faire? pense-t-elle; comment est-ce qu'on va faire? Parce que j'ai voulu
donner ma lettre à Pont, mais il n'a pas voulu la
prendre. Et je ne vais plus rien savoir de lui, et il ne
va plus rien savoir de moi...

« Pendant combien de temps?

« Et, encore, qu'est-ce qu'il ne va pas arriver
là-haut pendant ce temps? »

Car, à ce moment, elle a entendu ses deux frères

qui sortent, et l'un d'eux a dit, sur le perron, continuant une phrase commencée : « Pour moi, il est
perdu... »

« Et tenons-le pour perdu, a-t-il dit sur le perron,
c'est plus prudent (parlant du troupeau, sans doute) ;
bien heureux encore si les hommes là-haut en réchap-
pent, si, nous autres, nous n'y passons pas pour
finir... »

Ce qu'elle entend aussi, pendant que ses deux
frères descendent l'escalier, puis à leur tour disent
bonne nuit, s'en vont ; après quoi, son père tourne la
grosse clef dans la serrure ; mais comment est-ce
qu'on va faire pour pouvoir jamais plus dormir,
cette nuit, la nuit d'ensuite, et toutes les nuits qui
viendront ?

« Car, s'il souffre, je veux souffrir... S'il meurt,
je veux mourir. »

Une femme, quelque part dans le village, appelle.
Victorine n'entend plus. Elle n'est plus ici. Elle est
montée le chemin en pensée, allant lentement, comme
on fait, avec des arrêts, avec des lenteurs, avec des
pierres qui font aller en arrière, les pentes sans fin,
la fatigue, toutes les choses qu'il y a, toutes ces choses
pour que ça soit plus vrai, et elle arrive là-haut pour
finir, mais il ne me voit pas, il ne sait pas que je
suis là.

Elle tâche de le rejoindre ; elle se heurte partout
à de la nuit et au silence, l'apercevant, ne l'apercevant plus ; il a été devant le feu, puis sur le lit,
puis il n'y est plus ; il dort, il est réveillé, elle le voit
qui s'assied dans la paille ; il est seul, non, il n'est
pas seul ; elle ne sait plus, pour finir. Ça ne compte
pas, la pensée !

« Si je venais, pourtant, si j'arrivais tout à coup,
pour de bon ?

« Ils ne pourraient pas me renvoyer; on serait les deux, et, à cause de la maladie, ils ne pourraient pas me renvoyer.

« Ils doivent avoir besoin d'une femme. Je balaierais, je ferais la soupe, je laverais les ustensiles. Il me prendrait contre lui, on n'aurait pas peur, on serait les deux... »

Elle s'était mise à réfléchir. Il sonne onze heures. Il sonne minuit.

IX

Ce même soir déjà (le soir donc du jour où Pont était monté), le neveu avait dit :

« Il faut mettre la corde. »

Le maître avait bien essayé de hausser encore les épaules, mais on voyait que c'était seulement par habitude, car, quand son neveu et Barthélemy s'étaient levés, il les avait laissé faire sans rien dire; et la porte, dès ce soir-là, avait été attachée soigneusement.

Ils avaient tous été se mettre ensuite autour du feu, sans même s'apercevoir que Clou n'était pas rentré.

Ils faisaient grand feu. Clou n'était pas rentré, ils n'y ont pas pris garde. Ils étaient les quatre, ils ne disaient rien. Et, longtemps, ils n'avaient rien dit; puis, comme l'autre fois, c'était Barthélemy qui avait parlé le premier, ayant fait d'abord bouger un moment en silence sa grosse barbe.

On l'avait vu ensuite hocher la tête :

« Ça va être comme il y a vingt ans... Il ne doit déjà plus être bien loin...

— Taisez-vous! » a dit le maître.

Il prit une grosse poignée de branches qu'il jeta
sur le feu, puis une deuxième, faisant naître une
grande flamme claire qui est montée à un bon mètre
du foyer en se recourbant dans le bout, et c'était
moins pour la chaleur que pour la lumière, parce
qu'on prétend qu'Il n'aime pas la lumière.

Et, en effet, le maître a alors vivement regardé
tout autour de lui dans la pièce; le maître a pu voir
qu'Il n'était pas là.

Ils étaient seulement les quatre, et c'était bien
tout. Et, à ce moment, Barthélemy a fait encore un
mouvement avec la tête :

« C'est pourtant vrai », a-t-il commencé...

Mais alors, pour le faire taire, le neveu a pris
dans sa poche sa musique à bouche, pendant qu'il
y avait donc le grand feu que le maître continuait
d'entretenir soigneusement; mais c'est aussi que le
silence de dehors avait recommencé à venir, en
même temps que la nuit était revenue; alors on voudrait ne plus l'entendre, on cherche à se distraire
de lui (quand il n'y a plus rien, quand c'est comme
avant les hommes sur la terre ou quand il n'y aura
plus d'hommes sur la terre); avec un petit peu de
musique, une danse, les toutes petites notes claires
tremblotantes (une marche, puis une valse, puis une
polka); et Joseph pendant ce temps était ici, les
coudes sur les genoux; puis il n'a plus été ici.

De son côté, il était parti; c'était son tour à lui
de se mettre en route, pendant que la petite musique
venait toujours, mais elle venait à présent pour lui
entre les pins, bougeant doucement derrière leurs
troncs rouges, et par terre aussi c'était tout rouge,
à cause des aiguilles tombées sur lesquelles Victorine
glissait.

Pendant que la petite musique venait, et la petite

musique venait d'en haut, à leur rencontre, entre les pins; tandis que Victorine glissait, parce qu'elle n'avait pas de clous à ses souliers. C'étaient ces petits souliers sans clous qu'elle mettait pour aller danser le dimanche; un de ces après-midi de dimanche où ils allaient danser dans les fenils de la montagne, de l'autre côté de la forêt; alors elle glissait sur les aiguilles, ce qui la mettait en colère, ce qui la faisait rire, puis elle semblait prête à pleurer.

Il la prenait par la main, il la tirait à lui; mais elle se fâchait de nouveau, disant qu'il allait lui déchirer son caraco de mohair, bien mince en effet, et brillant, brillant comme un morceau de ciel sous les arbres, pendant qu'il y avait là-haut entre les arbres ces autres morceaux de ciel.

« Ne tire pas si fort, tu vas me déchirer... »

Ah! elle n'était pas toujours commode, mais on trouvait toujours moyen de se raccommoder.

Elle faisait tenir ses frisons noirs avec de l'eau sucrée, elle se mordait les lèvres pour les rendre plus rouges. Ils regardaient l'écureuil, ils regardaient la pie faire aller sa queue en haut et en bas. Ils regardent la pie, puis ils se mettent assis ensemble pour la regarder, pendant qu'elle se balance toujours sur le ciel dans le bout d'un sapin, car rien ne presse et on a tout le temps : pendant que les autres tournaient là-haut, puis ils s'arrêtaient de tourner, puis ils recommençaient de tourner, comme on entendait la petite musique qui venait, ne venait plus, venait de nouveau. Et, tout à coup, il avait dit :

« Si on en dansait une ici, rien que les deux? »

Elle voulait bien, ça l'a amusée. Ils ont trouvé une place suffisamment plate, et dégarnie, comme il convient. Il l'avait prise contre lui, chaude à tenir derrière le mince petit caraco; ils tournaient ensemble

— mais il a semblé à ce moment à Joseph que le
jour baissait, comme si un nuage était venu se mettre
entre le soleil et eux.

Joseph a levé la tête; des morceaux d'arbre, des
morceaux de pente à la terre rouge se sont envolés...

Le feu avait baissé, en effet; le neveu avait remis
la musique à bouche dans sa poche.

Joseph voit le feu qui baisse, il voit que le maître
s'est levé; elle, il ne la voit plus.

Pareillement au maître, le neveu et Barthélemy
se lèvent, ne disant rien, baissant la tête, qu'ils tournent ensuite vers la lumière du falot que le maître
vient de suspendre à un clou enfoncé dans le montant
d'un des lits, après que Barthélemy avait encore été
voir si la porte était bien fermée; puis ils se sont jetés
sur la paille, s'enroulant dans leur couverture, sans
s'être déshabillés, ni même avoir pris la peine d'ôter
leurs souliers, ce soir-là, comme ils font pourtant
toujours, et à cause des rats ils les pendent par les
cordons à des chevilles.

On n'a pas su s'ils dormaient ou non. Ils se trouvaient couchés depuis au moins une heure; il y avait
de la lune. Ils ne bougèrent point. On a entendu un
bruit de pas. Les pas se rapprochaient toujours plus.

On n'a pas su s'ils dormaient ou non, à part
Joseph; ils n'avaient plus, ni les uns ni les autres,
pensé à Clou, tellement ils vivaient déjà chacun pour
soi.

Et Joseph a entendu qu'on venait, il a entendu
ensuite qu'on a essayé d'ouvrir la porte. Jusqu'à ce
soir-là, elle n'avait jamais été que poussée, alors il y a
eu un moment de surprise, de l'autre côté de la porte,
d'où aussi un silence et un temps d'arrêt, puis on
heurte. On frappe trois coups; Joseph s'était assis
sur sa paillasse.

Et Joseph d'abord s'était dit : « C'est Clou »,
puis, parce qu'on n'appelait toujours pas et on ne
disait toujours rien (on s'est contenté de frapper
trois coups de nouveau, toujours ces trois mêmes
coups), — au lieu d'aller ouvrir, il est resté assis,
sentant sa peau se soulever à la racine de ses poils,
dans ses cheveux, dans sa barbe.

On heurtait pour la troisième fois.

Il a dit : « Eh! vous autres, vous entendez? »
on faisait comme si on dormait. Joseph appelle de
nouveau : il voit, à cause de la lune, le neveu se
serrer contre le maître sur leur cadre.

Il se lève. Il avait honte de lui. Il a été secouer
Barthélemy par l'épaule.

« Eh! Barthélemy, disait-il, venez avec moi. Ça
doit être Clou.

— En es-tu sûr? disait Barthélemy... Parce que
peut-être que c'est Lui... »

Ayant fini pourtant par s'asseoir à son tour :
« Oh! moi, je veux bien; moi, je ne risque rien,
mais toi... »

Il a été chercher le papier avec la main sous sa
chemise et ce fut seulement quand il l'eut tenu dans
sa main qu'il est venu avec Joseph.

Ayant dénoué la corde, ils n'ont fait qu'entrou-
vrir la porte légèrement, tandis que la lune venait
en une étroite bande bleue sur la terre battue devant
eux. Et la lune a été un triangle, puis elle a été une
belle route claire disant d'entrer, car ils avaient
reconnu Clou; mais Clou n'entrait pas.

Il se tenait dans la lune :

« Eh bien, vous n'êtes pas pressés d'ouvrir... Qu'est-
ce qu'il vous prend? Vous vous enfermez? »

Il se tenait devant vous, il riait; la lune lui coulait
sur les épaules, venant de dessus la montagne der-

rière lui et de derrière sa tête; de sorte que ses épaules
et les côtés de sa veste étaient éclairés, mais pas sa
figure, ni ses traits, ou mal : pendant qu'il riait de
nouveau, puis :

« Allez-vous toujours me faire attendre comme
ça ? »

Les côtés de sa veste tombaient droit, à cause de
ses poches pleines.

Et, tout à coup, Joseph a recommencé à avoir
peur, pendant que la colère lui venait :

« Dépêchez-vous d'entrer, disait-il... Ou bien je
referme... »

Mais l'autre riait toujours.

« Quand je voudrai, tu sais... Et puis vous n'avez
qu'à laisser la porte ouverte. Il fait bon dehors par
le clair de lune. »

Et il ne s'est pas pressé d'entrer, pendant que
Joseph (est-ce parce que la nuit était froide?) sentait des frissons lui courir le long de l'épine sous ses
habits...

Le lendemain matin (bien qu'on eût soigneusement
isolé le troupeau, et, pour la nuit, on le poussait sous
une roche), le lendemain matin, deux bêtes de nouveau ont été atteintes par la maladie.

Ils ont été chercher de nouveau la hache à long
manche; ils se sont remis à creuser.

Sous le beau ciel, par le beau temps; car il a fait
beau sans interruption tous ces derniers quinze jours,
avec une frange de froid régnant encore le matin,
le long des parois, du côté de l'ombre, puis elle se
retirait en même temps que l'ombre, faisant place
à une grande chaleur pleine de mouches et de taons.

Ils étaient regardés seulement depuis là-haut,
par cette bande de ciel bleu; il n'y a eu qu'elle, tous

ces quinze jours, et elle a été toujours la même, ramenant sur ses bords, à chaque lever de soleil, un même bel arrangement de tours, de pointes, d'aiguilles, de dents.

Le beau temps allait là-haut, sans s'occuper de vous, avec son horlogerie; et des hommes sont dessous, mais est-ce qu'ils sont seulement vus? est-ce qu'ils comptent seulement? quand il y a ces quatre points, et ce cinquième; puis plus aucune autre chose vivante, par toute la grande combe et au-delà sur le chemin, parmi la rocaille et les éboulis; sauf les ombres qui lentement tournent, un arbre qui bouge, un choucas, une corneille, ou bien l'aigle immobile sur ses ailes haut dans l'air, comme s'il pendait à un fil.

Et quatre hommes là, vus ensemble, puis un cinquième qui s'éloigne d'eux, allant dans la direction du glacier; et, parfois, vers le soir, l'un des quatre aussi s'en allait, mais dans la direction contraire : c'est-à-dire jusqu'à la porte qui ouvre sur la vallée.

Joseph, arrivé là, choisissait un point dans le ciel.

Le point qu'il choisissait dans le ciel était juste au-dessus du village; il n'avait plus ensuite qu'à se laisser tomber de là-haut, droit en bas.

X

Pendant ce temps, ceux du village continuaient à relever le poste; comme le poste était de quatre hommes et qu'on le relevait toutes les quatre heures, c'était pour eux un grand dérangement. Quatre hommes, six fois par jour, ça en faisait vingt-quatre par jour; or, en cette saison, à peine s'ils étaient une centaine d'hommes au village, de sorte que votre tour revenait deux fois par semaine à peu près et souvent au milieu de la nuit. Les tours étaient inscrits sur un papier. On venait à deux heures du matin vous appeler sous vos fenêtres. C'était pour eux un grand dérangement; ils ont pourtant été bientôt forcés de voir que même ce dérangement, et tout important qu'il était, n'allait plus servir à grand-chose.

A la fin d'une de ces dernières nuits, peu avant le lever du soleil, il y avait eu, en effet, un coup de fusil dans la gorge; puis ce nouveau malheur s'est mis à descendre vers eux.

Ils n'avaient pas compris tout d'abord, ceux du poste; ils avaient vu seulement d'abord que c'était un homme qui venait; ils étaient courus hors du fenil avec leurs fusils, pensant l'empêcher de passer; criant : « Halte là! » puis tout à coup :

« Mais c'est Romain!... »

Et c'était Romain en effet.

Il s'était passé ceci que Romain, tout en continuant de se tenir caché, n'avait pourtant pas pu rester longtemps tranquille. Son vieux goût l'avait remordu. Il s'était remis à penser à son fusil et à cette fissure de roc où, sous les feuilles sèches, il y avait l'arme, une poire à poudre, de la grenaille, des capsules dans une boîte de fer-blanc, parce que c'était un vieux fusil à chien, mais ça n'empêche pas, au contraire; — il avait été remordu par l'idée de ce fusil ne servant plus à rien, tandis qu'il aurait eu maintenant tout le temps qu'il fallait pour s'en servir et même il ne savait plus que faire de son temps. Il n'y avait plus tenu; il avait fini par se dire : « Si j'allais quand même! »

Étant parfaitement renseigné sur l'état des lieux, il avait eu vite fait de voir comment il lui faudrait s'y prendre pour passer sans être aperçu par ceux du poste, ce qui n'était pas très difficile; et, une nuit donc, il était parti, n'ayant eu qu'à suivre en se baissant le lit du torrent. Ce n'était pas plus difficile que ça, se disait-il, tout en allant chercher son arme et pendant que le jour commençait à paraître, faisant venir dans le haut des branches des losanges couleur de poussière, ou bien des carrés, ou bien des triangles, en même temps que les oiseaux élevaient leurs premiers cris.

En même temps que le jour s'élevait, un premier cri d'oiseau s'élève et une branche ployait sous le poids d'un pic, une branche ployait sous le poids de ce petit paquet de plumes comme sous celui d'un fruit.

Une branche a été quittée, elle se relevait en se balan-
çant; de nouveau, l'écureuil rouge, là-haut, était
confondu un instant avec le tronc d'un pin auquel il se
tenait accroché par ses griffes, puis on recommençait
à le voir quand il recommençait à bouger. Romain
qui avait son fusil sur l'épaule, l'ôte de dessus son
épaule. Tout le reste avait été oublié, une fois de
plus, par lui, sauf cette baguette qu'il tenait, ayant
mis dans le canon une forte charge de poudre, puis
de la bourre, puis la grenaille; et le voilà qui bourrait
encore son arme avec des gestes précipités (et
peut-être qu'il a mis plus de bourre qu'il n'aurait
dû).

Il a couru après la pie. La capsule était en place,
le chien levé. La pie avait disparu; mais un geai à
bout d'ailes bleu, appelant sa femelle, était posé
un peu plus loin, dans une ouverture de la pente,
par où l'autre versant de la gorge tout noir encore
s'apercevait en vis-à-vis.

Romain avait couru après le geai qui s'est envolé;
ensuite la détonation avait donc été entendue jusqu'au poste, tandis que du côté d'amont elle ne cessait
plus de se faire entendre, roulant en cahotant dans
la gorge qu'elle remontait comme une charrette
lourdement chargée.

Romain avait visé le geai qui avait été au bout du
canon de son arme, puis n'y était plus, pourtant
Romain avait pesé sur la détente; ensuite il avait
tourné sur lui-même un moment dans la fumée,
pendant que l'odeur de la poudre qu'il avalait
abondamment le faisait éternuer et tousser; puis il
était tombé sur le dos dans la mousse.

Il a regardé d'abord sa main sans comprendre,
n'éprouvant aucune douleur; il s'était mis ensuite
à sangloter comme un enfant.

Il appliqua sur la blessure la paume de sa main droite pour empêcher le sang de couler, mais le sang giclait sous la paume. Le sang giclait entre les lambeaux de peau qui étaient tout ce qui restait des doigts de sa main gauche; il tombait à larges gouttes en faisant un bruit. Une colère était venue à Romain; tout à coup il avait secoué violemment sa main à deux ou trois reprises, comme pour la vider en une fois de tout son sang, mais il s'en éclaboussa la figure. Il sentait la chaleur du sang sur sa figure froide de l'air du matin; il y avait l'odeur du sang, il y avait la vapeur du sang dans l'air froid. Il cria : « Au secours ! » il cria plusieurs fois au secours de toutes ses forces; puis, portant les yeux sur son pantalon, il le vit rouge; portant les yeux sur sa manche, il la vit toute rouge du même liquide gluant qui collait à son poignet en tirant sur les poils...

Il avait dû perdre connaissance un moment; puis, étant revenu à lui, il avait déchiré tout un côté de sa chemise qu'il enroula autour de sa main blessée, de son mieux; et la suite avait donc été qu'il était paru sur le chemin en avant du poste, sans que les hommes du poste se fussent encore aperçus de ce qui lui était arrivé.

Ils avaient seulement crié : « Halte !... » ils avaient crié : « Halte ! ou on fait feu ! » puis ils avaient reconnu Romain; ils abaissent leurs armes, ils crient : « Qu'est-ce qu'il y a, Romain ? D'où viens-tu ? »

Il ne leur répondit rien. Il continuait de venir. Alors on a vu son épaule nue. Alors, aussi, on a vu qu'il était entièrement peint en rouge, la poitrine, les joues, le front, les jambes, le pantalon, jusqu'à ses souliers; enfin ce fut cette main qu'il tenait levée, avec son autre bonne main, comme une lampe, devant lui.

On l'a assis dans le poste; Compondu disait :
« Il faudrait avoir des toiles d'araignée, il n'y a
rien de meilleur pour arrêter le sang... »

Mais Romain n'a pas voulu qu'on le touche. Il
disait : « Non! non! laissez-moi tranquille! » Il n'a
pas voulu qu'on touche à son bandage; dès qu'on
parlait de le faire, il se mettait à pleurer. On n'avait
donc pu que le faire asseoir et le faire boire; il y avait
de l'eau-de-cerises toute jeune dans une gourde,
c'est-à-dire de la très forte; on est venu avec la gourde,
on lui disait :

« Ça va mieux? »

Il tenait toujours sa main levée devant lui, on lui
tenait le goulot de la gourde entre les dents.

« Encore une gorgée? Ça va mieux? »

Et lui, mettait sa tête en avant pour avaler, mais
il secouait la tête; puis, comme on lui demandait :
« Alors, qu'est-ce qui est arrivé? raconte-nous »,
il l'a secouée de nouveau.

Et on n'a rien su que beaucoup plus tard, pendant
que pour le moment on l'emmenait, et deux des
hommes du poste l'ont accompagné jusqu'au village,
le soutenant chacun sous un bras; — ainsi ce nouveau
malheur descendait maintenant vers nous.

Il y avait toujours cette main levée; le sang avait
séché, le sang avait durci à l'air sur le bandage;
Romain tenait à présent devant lui une main noire;
et c'est le signe de cette main qu'on a eu vite fait de
voir, quand il s'est montré devant nous.

Une fenêtre, une autre; celles qui regardent vers
le chemin, celles qui sont tournées du côté de la
montagne, puis celles qui étaient de chaque côté
de la rue : Romain qu'on menait à présent chez
Pont.

Puis le monde qui est venu, Victorine qui était

venue; mais la seule chose qu'elle a entendue, c'est quand le vieux Munier a dit :

« Vous voyez, il était là-haut... C'est par ceux-là que ça va commencer. »

La seule chose qu'elle ait entendue parmi tout ce qui était dit, crié, toussé, pleuré; — et la seule chose qu'elle ait comprise, c'est qu'elle pourrait passer, puisque Romain avait passé.

XI

Elle n'a eu le jour suivant qu'à aller se promener
en dessous du poste. Là son père était justement
propriétaire d'un coin de pré; elle n'a eu qu'à faire
comme si elle allait voir où l'herbe en était de pousser.
Les hommes du poste ne soupçonnèrent rien. Le beau
temps était toujours dans le ciel où il se peignait en
bleu foncé, d'un côté de la vallée à l'autre, entre les
deux pentes vertes; elle est allée sous le beau temps.
Le torrent coulait à côté d'elle. Il se trouvait avoir
fortement baissé encore depuis une semaine, le gros
de la neige ayant fini de fondre sur les sommets. Il
avait aussi changé de couleur; et, après avoir été
blanc et trouble, était devenu comme du verre de
bouteille, laissant voir les grosses pierres qui étaient
au fond de son lit. De temps en temps, une truite
passait au-dessus d'elles d'un trait vif, puis allait se
mettre la tête en avant sous un surplombement de la
rive, se laissant balancer, immobile, dans le mouvement de l'eau. Victorine a eu l'air de s'arrêter pour
regarder la truite, tandis qu'elle mesurait la hauteur
de la berge qui dépassait de plus d'un mètre la sur-
face du courant. Il y avait, à sa partie supérieure,
une bonne épaisseur de terre végétale où on voyait

pendre par touffes les racines du chiendent; dessous
venait une couche de sable, puis une couche de cailloux; enfin venaient en pente douce les bancs de gravier et de vase apportés par la rivière et que l'eau
avait laissés à découvert en se retirant. Elle n'aurait
qu'à les remonter; c'est ce que Romain avait dû
faire.

Elle a vu que c'était possible et même facile. De
place en place, un gros quartier de roc permettait
de se tenir debout et de se reposer un moment. Et le
torrent coulait à ciel libre encore un bout, plus en
amont; puis les pentes se rapprochaient, les arbres
venaient vous cacher; plus loin, pensait-elle, elle se
tirerait toujours d'affaire...

Tout fut bien calculé par elle, du moins dans les
commencements du trajet qu'elle avait à faire; à la
suite de quoi, deux jours ont passé encore, et le petit
Ernest allait mal, et la blessure de Romain s'était
mise à suppurer.

Deux jours passèrent donc; ce troisième jour,
elle avait mis le ménage en ordre, comme d'ordinaire; ensuite elle a dit à son père, qui se tenait assis
sans parler dans la cuisine, qu'elle allait chez une de
ses amies.

Il n'a rien répondu; il s'est contenté de hocher
la tête dans son coin.

Il sentait tristement le poids de l'âge être sur lui,
le condamnant à l'impuissance, de sorte qu'il ne
sortait plus guère, même quand, comme ce soir-là,
personne ne semblait songer à dormir au village;
car, plus encore que pendant la journée, les discus-
sions allaient leur train dans les rues et aussi dans la
salle à boire dont les fenêtres ouvertes laissaient
venir jusqu'à vous un bruit de voix, mêlé à des coups
de poing donnés sur les tables. D'où des difficultés

pour Victorine, quand même ; et, la première, comme
elle voyait, serait de traverser la rue, le fenil où elle
avait caché son panier se trouvant de l'autre côté.
Mais, une fois qu'elle eut mis la clef de la maison
sous la planchette, elle a vu que le plus simple était
encore qu'elle n'eût pas l'air de s'occuper de personne,
— ce qu'elle a fait, traversant la rue ouvertement,
sans hâte. Le fenil donnait sur une ruelle composée
tout entière de ces mêmes fenils, c'est-à-dire non
habitée, de sorte que là non plus elle n'a pas été vue. Ce
sont des fenils tenus levés en l'air par le moyen de
quatre piliers de pierre, pour empêcher les souris d'y
entrer ; elle a fait un grand mouvement avec la jambe
sous sa jupe, empoignant le cadre de la porte des
deux mains. Puis elle a été dans le foin et voyait entre
les poutres de mélèze, mises à plat l'une sur l'autre, et
pas bien rejointes, en face d'elle, la maison et la
cuisine, puis que la lampe s'est éteinte dans la cuisine. Elle a pris son panier ; il était lourd. C'est qu'elle
s'était dit qu'ils ne devaient plus rien avoir à manger
là-haut, à part leur pain dur et du vieux fromage ;
alors elle avait été chercher dans la cheminée ce qu'il
y avait de meilleur, une forte tranche de jambon, des
saucisses, et à la cave aussi ce qu'il y avait de meilleur ; puis, dans le dessous du râtelier, une miche de
pain frais.

Elle a été là, tenant son panier sur ses genoux pour
être prête quand le moment serait venu, elle est
assise dans le foin ; de temps en temps, quand on
passait devant le fenil, elle portait vite en avant sa
figure, mettant son regard dans une des fentes ;
ainsi elle avait vu que la cuisine s'était éteinte, que
son père avait été se coucher ; mais on continuait à
passer dans la rue, c'est pourquoi elle a dû attendre
que onze heures, qui est l'heure de la fermeture de

l'auberge en semaine, aient été sonnées par l'horloge; alors le gros des voix des gens qui sortaient
de la salle à boire s'est fait entendre longtemps,
avec des portes qui retombent, des clefs grinçant dans
les serrures.

Elle a attendu encore; maintenant il ne devait
plus être loin de minuit. Elle se disait : « J'arriverai
avec le matin. » Elle sort la tête hors de l'ouverture
du fenil, elle regarde à droite, à gauche, elle fait
alors passer son corps, s'assied dans le cadre de la
porte, saute; elle tire à elle son panier, elle referme la
porte à claire-voie.

Elle eut de la chance, elle ne rencontra personne.
Elle fit tout le tour du village; nulle part, elle n'avait
été vue, ni même dans l'espace de prés à découvert
qu'il lui avait fallu traverser pour finir. Elle était
arrivée au bord de la rivière; elle s'était mise à
remonter le cours de l'eau. Le mouvement de l'eau
se faisait à sa rencontre; l'eau venait contre elle sans
arrêts, avec ses élévations, puis continuait sa course;
tout allait bien encore que par moment Victorine sût
à peine si elle avançait, ou ne l'aurait pas su du moins
s'il n'y avait pas eu la berge sur son autre côté. Mais
alors elle n'avait qu'à s'y serrer plus étroitement,
s'appliquant surtout à se bien tenir baissée, se baissant de plus en plus à mesure qu'elle se rapprochait
du poste dans cette poussière de lumière qui était
secouée sur nous par les étoiles et qui devait permettre
qu'on la vît d'assez loin, si par hasard elle avait
montré seulement une partie de sa personne; mais
elle se collait à la berge pour mieux tirer parti de
l'angle.

Et, en effet, elle a passé.

Elle a vu venir à elle l'escarpement de la pente
tombant vers la rivière sous une couche de nuit plus

noire, qui était la lisière de la forêt; elle y arrivait
déjà : on n'avait pas appelé, rien ne bougeait; au
moment où elle allait être forcée de quitter la berge,
qui devenait rocheuse et trop abrupte, elle est entrée
sous les pins.

Là, on pense qu'elle a dû se reposer un moment...

« On a trouvé une place, disent-ils, où des plantes
de forêt montraient qu'on s'était assis. Elle a dû donc
s'asseoir pour se reposer et tout allait encore bien à ce
moment pour elle. C'est seulement plus loin, disent-
ils... Il faut croire qu'elle connaissait mal les passages
et elle ne s'était pas rendu compte de la difficulté qu'ils
offrent. Elle a dû tomber une première fois; son
panier a roulé dans des buissons où on l'a retrouvé.
Oh! on a pu tout lire, disent-ils, toute son histoire,
comme si elle l'avait écrite exprès pour nous. Il faut se
représenter que la nuit, dans ces fonds, on ne voit
même plus ses mains, ni ses pieds, et on doit se creuser
son chemin avec le bout des doigts, comme les aveugles. La nuit, dans ces bancs de rochers, avec tous
ces petits pins bas où on se prend les jambes et la
terre qui est glissante; eh bien, ça ne l'avait pas
empêchée et elle est allée tant qu'elle a pu. Oh!
on a tout pu lire, comme si on avait été avec elle, et
comment elle était tombée une première fois, puis
elle s'était relevée, puis elle était tombée de nouveau.
Probablement qu'elle a appelé, mais que voulez-
vous qu'elle fît, avec sa pauvre petite voix, contre la
grande de l'eau. Elle devait avoir perdu tout à
fait sa direction, de sorte qu'elle a tourné en rond
longtemps, puis elle a essayé de grimper droit devant
elle à la pente; malheureusement, à cet endroit-là,
on ne s'y attaquerait même pas de jour. Elle a dû
tomber à la renverse. Elle s'est raccrochée à un petit
sapin qui a cédé avec sa motte; ensuite, elle n'a

fait qu'un saut... Oh! disent-ils, on a tout pu lire;
c'était écrit comme dans un livre phrase après phrase,
et jusqu'à la dernière, c'est-à-dire au-dessus d'une
de ces poches dans le roc où il n'y a pas eu moyen de
descendre pour essayer de la trouver, et là l'histoire a
été finie... Tout à fait comme pour le mulet... Tout
à fait comme pour le mulet, disent-ils; et, nous, le
lendemain matin, on s'était mis à la chercher, parce
que tout de suite on avait compris de quel côté elle
devait être allée. Ceux du poste ne l'avaient pourtant
pas aperçue, ils disaient : « Croyez-vous qu'on l'aurait
laissée passer ? » On a eu alors l'idée d'aller voir
dans la rivière, son père, ses deux frères, son oncle,
et puis nous autres; ainsi on a trouvé ses traces dans
le sable et le commencement de l'histoire qu'il n'y a eu
qu'à lire jusqu'au bout... Jusqu'à une de ces poches
dans le roc, et là plus rien. C'est que l'eau l'avait
gardée... »

Ils disent :

« L'eau l'a gardée tout le mercredi, tout le jeudi,
tout le vendredi et tout le samedi matin encore,
bien qu'on eût été fouiller partout avec des perches
et des crocs, mais on n'avait rien découvert, parce
qu'elle a dû tourner ces trois jours sur place ou bien
elle était restée prise à des racines sous un surplomb;
alors elle aura balancé là tout ce temps et jusqu'au
moment où ses cheveux auront cédé ou bien peut-être
que c'est sa jupe; c'est-à-dire que c'était le samedi
dans la matinée, peu après que le mulet aux provisions
était parti pour le chalet, étant convenu qu'il n'irait
pas jusqu'au chalet et que les provisions seraient
déposées au Scex Rouge... Alors la question avait été :
« Faut-il prévenir Joseph ? » mais tout de suite on
s'était dit : « Non, gardons-nous-en bien, il voudra
« descendre... » Le mulet est parti, disent-ils, vers

huit heures; le vieux Théodule était dans son pré.
Il ne le quittait plus; il passait là toute la journée,
toutes ses journées; il avait passé là ces trois journées,
regardant si elle ne viendrait pas. Elle ne venait pas.
Et puis elle est venue : peut-être qu'elle avait fini
par avoir pitié de lui... »

« Le vieux Théodule était dans son pré, disent-ils;
tout à coup, il la voit qui vient. Elle venait comme
sur une balançoire; elle s'est arrêtée devant lui un petit
moment... Il s'avance, mais elle repart; alors il a
marché à côté d'elle et, à mesure qu'elle avançait,
il avançait... A ce moment, elle se trouvait être dans le
beau milieu de la rivière, de sorte qu'elle venait
sans empêchement, le menton en l'air. L'eau la
soutenait bien, elle se laissait faire, elle montait et
descendait comme sur une balançoire, pendant que sa
jupe gonflée s'élevait plus haut que l'eau et son
tablier était dessus... On n'a eu qu'à la laisser venir
jusqu'au pont... C'était après le petit Ernest, après
le mulet tombé, après l'accident de Romain. Et puis
il y avait toujours, là-haut, la maladie... »

XII

Là-haut, ils venaient d'enfouir leur dixième bête.
Ils semblaient ne plus avoir la force de se tenir debout.

Ils se sont laissés tomber assis au pied du mur en
pierres sèches, dans la chaleur, parmi les mouches;
ils ne se parlaient déjà plus.

Clou partait chaque matin sans s'occuper d'eux,
si bien que tout le jour ils n'étaient plus que quatre;
et ils enfouissaient les bêtes, allaient s'asseoir, puis se
levaient, puis venaient s'asseoir de nouveau.

Ils ne faisaient plus de fromage, se contentant de
mettre la baratte à beurre sous la fontaine, où elle
tournait toute seule par le moyen d'un chéneau de
bois d'où l'eau tombait sur la roue à palettes.

La baratte tournait toute seule; eux étaient assis
au pied du mur, la tête en avant, avec des barbes pas
rasées, des cheveux pas coupés; et il y avait toujours ce
même grand beau temps posé tout autour d'eux,
là-haut, sur les arêtes, où on voyait les aiguilles, les
tours, les pointes, les cornes, les dents, être peintes
de soleil, être roses, puis être dorées, puis être roses
de nouveau.

Ce soir-là encore, ils ont fait grand feu, quoiqu'ils
fussent presque au bout de leur provision de bois,

et ils sentaient bien qu'ils n'auraient pas la force de la
renouveler, parce qu'il leur aurait fallu pour cela
descendre à la forêt, de sorte qu'une de ces prochaines
nuits ils n'auraient même plus la protection de la
flamme; mais ils l'avaient encore pour le moment,
et ils ne pensaient pas plus loin.

Ils se tenaient autour du foyer, fortement éclairés
ce soir-là encore, une des dernières fois, avec leurs
barbes de quinze jours, leurs cheveux longs, leurs
yeux qui étaient devenus trop grands, une couleur
de peau comme celle de la terre sèche, comme celle
de la terre quand il n'a pas plu depuis longtemps.

Ils étaient là, ce soir encore, après tant de soirs,
sans un mot, — le neveu se serrant contre son oncle
qui de temps en temps se passait la main sur le front,
puis se laissait de nouveau aller tout entier en avant;
Barthélemy faisant toujours bouger sa barbe; Joseph
qui était là aussi, ou du moins semblait être là, mais
est-ce qu'il y était? ensemble et pas ensemble, ayant
allumé un grand feu, se serrant les uns contre les
autres autour du feu, attendant on ne savait quoi,
obligés pourtant d'être là —, et séparés des autres
hommes, mais en même temps séparés entre eux :
le maître, son neveu, Barthélemy, Joseph, puis il
y avait encore Clou, mais lui se tenait à l'écart.

Ils commençaient une nouvelle nuit, et le pire
moment de la journée était toujours pour eux ces
commencements de la nuit. Ils ont entendu meugler
les bêtes dont il y avait de nouveau plusieurs qui
venaient d'être atteintes par la maladie, le troupeau
ayant été poussé par eux pour la nuit sous la roche,
et là meuglaient les bêtes malades qu'ils ne prenaient
plus la peine d'isoler, ayant vu que la précaution ne
servait à rien. Mais c'est que rien ne va plus servir
à rien, comme ils avaient fini par voir aussi; alors

encore une fois la nuit venait, tandis qu'ils avaient
fait grand feu comme pour se donner l'illusion du
jour; et une bête meugle, puis un coup de vent passe
sur le toit où il fait rouler les petites pierres; alors
ils se tournent sans le vouloir vers la porte, s'assurant
du regard que les cordes étaient en place.

C'est à ce moment que Clou s'est mis à rire; puis
il a dit :

« Ça va durer encore longtemps? »

Il a dit :

« C'est que ça n'est pas commode pour moi... Une
nuit déjà qu'il m'a fallu coucher dehors, et il ne fait
pas chaud la nuit par ici. Je voudrais pouvoir rentrer
quand je veux. »

Il devait s'amuser à leur faire peur, pense-t-on;
il se moquait d'eux, pense-t-on; c'était le commencement de la nuit, il était peut-être neuf heures et,
comme on ne répondait rien :

« Et puis il y a Barthélemy et son papier; que ris-
quez-vous?

« Et l'ennuyeux, recommença-t-il, c'est que c'est
le soir justement que j'ai le plus à faire... Si je Le
vois, je vous préviendrai... En attendant, rien ne vous
empêche de laisser la porte ouverte... Je la fermerai
en rentrant. »

Il parlait tout seul comme ça, et on voyait par
moments Joseph lever lui aussi les yeux sur lui, après
quoi il regardait ailleurs. Ils se raccrochaient encore
à la vie et à être tant qu'ils pouvaient, mais est-ce
qu'ils allaient en avoir longtemps la force? Voilà
qu'ils ne se sont plus levés qu'avec peine, et, l'un
après l'autre, ils se sont traînés vers leur lit, tandis
que Clou les regardait l'un après l'autre se lever,
s'en aller, puis il les a entendus se laisser tomber
dans la paille; après quoi il a été seul, un moment,

près du feu, n'étant pas pressé d'aller dormir, car à présent il couchait seul, ayant un cadre tout entier à lui.

Clou couchait seul dans le sien avec ses cailloux; et c'est seulement peu après qu'il eut été rejoindre ses cailloux que la chose a commencé, parce que le troupeau ne dormait pas, lui non plus, sous sa roche.

Peu après que Clou avait été se coucher, on a entendu que les bêtes s'agitaient, par une sonnaille secouée, une de ces cloches qu'elles portent pendues autour du cou à une large courroie de cuir, en beau bronze, avec des dessins dessus. Comme si quelqu'un approchait, et une première bête, inquiète de voir qu'on vient, tourne la tête, fait bouger le battant de sa cloche; puis une deuxième bête s'inquiète, tandis que la première cloche commence déjà de sonner à coups plus rapides comme quand on prend le trot. Et brusquement, là-bas, sous l'avancement de la roche, ce fut comme quand on met le feu à un tas de paille, à cause de toutes ces sonnailles qui montèrent brusquement dans l'air avec leur bruit, puis se sont répandues en larges cercles de tout côté et à plat dans le pâturage, tandis que l'air bougeait comme quand on secoue un drap par les quatre coins.

Pourtant, eux ne bougèrent pas.

Ils sont restés étendus, le maître et le neveu sur l'un des lits, Joseph et Barthélemy sur l'autre, roulés étroitement dans leurs couvertures comme des morts, ne laissant voir d'eux-mêmes que la forme d'un corps sous les couvertures à rayures. Une sonnaille détachée des autres venait à présent rapidement à eux avec son tapement sec, puis ce fut le bruit sourd et gras des sabots qui s'écrasaient sur les pierres, parce que la bête venait au grand galop et elle a passé devant la porte du chalet; mais aucun d'eux ne remuait encore.

C'est seulement Clou qui a levé la tête :

« Eh! eh! »

Puis :

« Il me semble que ça se gâte. »

On entendait les gros grelots de fer battu et les cloches plus petites; on entendait battre d'un côté un gros grelot de fer battu avec sa toux rauque et de l'autre une cloche au son clair, comme quand il y a des lignes de notes superposées; puis il y a eu encore une bête qui est venue dans notre direction; mais la musique qu'elle fait casse soudain, c'est que la bête doit être tombée, n'étant pas très adroites, ni lestes, sur leurs sabots pas assez larges, trop fendus :

« Alors quoi? disait Clou, ça ne vous intéresse pas?... »

Leurs semelles de corne mince, non ferrées.

« Eh! le maître. »

Et, de toutes parts, les bêtes fuyaient de nouveau; partout, dans l'air, ces cloches étaient violemment mélangées, mais il n'y avait toujours que Clou qui parlât, demandant si on n'irait pas voir ce qui se passait :

« Eh! le maître, entendez-vous? Elles vont se casser les jambes. »

Il s'était mis assis.

Joseph lui-même ne faisait pas un mouvement. Bien qu'il tournât déjà le dos à Clou, il fermait encore les yeux comme pour s'empêcher deux fois de voir, tandis qu'il avait tiré la couverture jusque sur sa tête comme pour s'empêcher d'entendre, ne pouvant pas toutefois s'empêcher d'entendre à cause de la nuit partout rompue et traversée; alors, il sent encore le mouvement que fait dans son dos Barthélemy qui vient avec sa main, l'amène, la glisse sous sa chemise.

« Elles vont se casser les jambes... Eh! le maître, le troupeau... Ou bien si vous vous en moquez? Mais, en bas, qu'est-ce qu'ils vont dire?... A votre place, je n'oserais plus jamais redescendre... En tout cas, moi, je ne redescends pas... »

Le bruit des cloches s'était calmé : il reprend, il reprend par places. Aucune bête n'a plus été tranquille cette nuit; à peine étaient-elles arrêtées qu'il leur fallait repartir; à peine étaient-elles en repos qu'elles étaient de nouveau chassées et poursuivies.

« Moi, je ne redescends pas. Vous, ce sera quand vous pourrez, si vous pouvez... »

Deux bêtes encore partent au grand galop; et on ne savait pas ce que Clou faisait, pendant ce temps, sauf qu'il parlait; puis on a entendu qu'il avait été prendre son sac : il devait être assis sur son lit, il puisait à pleines mains les cailloux dans le sac comme quand on compte des pièces d'or, puis il les laissait couler entre ses doigts, alors il y avait un bruit de pluie.

Pendant un silence des cloches, venait ici ce petit bruit de pluie, et une voix :

« C'est qu'on en a! Et on ira où on voudra. Avec ça on va où on veut... Eh! vous autres... »

Car les bêtes avaient recommencé à tourner en rond, prises de panique, comme quand le vent, qui s'est calmé, souffle de nouveau dans les feuilles mortes, les fait se lever, les chasse de tous côtés, puis cesse, puis reprend. Et la nuit a été longue à ne plus finir, et courte, la nuit a été sans mesure aucune et comme si elle n'avait jamais commencé, ni ne devait jamais finir, parce qu'ils ne regardent toujours pas, ils se sont tenus blottis l'un contre l'autre, jusqu'au moment où il y a eu enfin un petit peu de gris dans le cadre de la fenêtre, comme si des toiles d'araignée pendaient contre les carreaux.

Clou devait avoir refermé son sac, Clou s'était tu ; peut-être qu'il dormait à présent ; et pour eux alors plus rien, sauf encore du temps qui passe, le ciel qui devient blanc comme si on l'avait peint à la chaux.

Et le troupeau semblait s'être calmé : alors il y a eu encore une fois l'arrangement là-haut des choses toujours les mêmes ; elles n'ont pas semblé avoir rien remarqué de ce qui était survenu ici, après que le ciel change de couleur ; et, à l'extrême pointe de ces aiguilles et de ces dents, l'aurore est comme un oiseau qui se pose, commençant par le haut de l'arbre, puis se mettant à le descendre, en même temps qu'elle multipliait ses perchoirs, elle sautait de branche en branche, elle circulait rapidement de l'une à l'autre.

Ils n'avaient toujours pas bougé ; du temps a passé encore, ils sont toujours dans la nuit. Puis voilà que le cadre de Clou craque. Le cadre, les quelques planches de sapin mal assemblées sur deux supports, le cadre de Clou ; puis Clou s'est assis, puis on entend qu'il met ses souliers, on l'entend qui bâille, qui tousse un peu, qui saute à terre, ensuite il va vers la porte en se sifflant un petit air.

La porte du chalet s'est ouverte sur le grand jour.

Alors, on a entendu Clou éclater de rire, en même temps que le premier rayon de soleil venait sur lui en basculant par-dessus la haute arête, comme quand un des côtés de la balance plus lourdement chargé descend. Et Clou est là dans le grand jour ; Clou n'a eu qu'à porter ses yeux autour de lui, alors il a éclaté de rire.

« Eh bien, c'est du beau ! »

C'est que la montagne, à présent, nous montrait ce qu'elle sait faire.

Elle avait mis de nouveau sur elle une grande lumière, avec un air parfaitement pur, et puis nous disait : « Vous voyez... quand je veux... » Elle mettait sur elle ce beau vêtement d'air transparent pour n'être plus cachée, elle nous montrait toute la combe, nous disant : « Venez voir... » Elle nous appelait, elle entrait maintenant par la porte grande ouverte ; et Clou :

« Une, deux, trois... quatre... Eh ! venez m'aider à compter... »

Eux, cependant, n'ont regardé d'abord que passagèrement entre leurs paupières qu'ils n'ouvrent qu'à demi, sous leurs couvertures, tournés vers le mur, encore serrés l'un contre l'autre, dans les deux lits ; ils voient le jour, puis ils ne veulent plus le voir et ne le voient plus, puis le voient de nouveau ; ils voient que le soleil est venu, qu'il entre ; ils ne veulent plus voir le soleil, ils n'osent pas, ils y sont forcés. Et, Clou, là-bas, pendant ce temps, toujours :

« Venez m'aider... Il n'y a personne. Il n'est pas là... Je vous assure qu'Il n'est pas là. »

Pendant qu'ils font encore un essai, ouvrent les yeux tout grands, tournent la tête, voient le beau jour, se voient l'un l'autre...

Et ils n'eurent qu'à compter eux-mêmes quand ils sont venus. Cinq, six, sept : ils comptaient, ils ne pouvaient plus.

C'était dans le pied des bancs de rocher, dont il y avait un grand nombre dans le pâturage : cinq, six, sept, huit bêtes : ils continuaient de compter.

Celle-là essayait encore de se mettre debout sur ses jambes de devant, et retombait ; celle-ci lève seulement la tête au bout de son cou qu'elle tend, l'écartant tant qu'elle peut du sol, en ouvrant longuement son mufle qui laisse sortir une légère fumée blanche.

C'est quand, justement, le gazon commence lui aussi à fumer blanc, à cause de la rosée ; ils comptaient : et huit, et dix, et douze bêtes ; alors, Clou riait de nouveau ; Clou a dit :

« Ça va bien, qu'en pensez-vous ? »

Eux ne répondirent pas, parce qu'ils étaient vides de mots et leur bouche est restée tout à fait vide de son, leur tête vide de pensée ; tandis qu'ils tenaient les bras appliqués au corps, et leurs mains au bout des bras étaient appliquées à leurs cuisses ; regardant, regardant toujours ; et Clou :

« Il va falloir reprendre la hache. Vous allez avoir de l'ouvrage... »

Le maître, alors, a crié :

« Taisez-vous, vous ! »

Venant droit contre Clou, les poings fermés ; puis il se retient, ou plutôt il a été retenu ; il s'arrête, ses poings retombent...

Et il a dit aux autres :

« Allons, dépêchons-nous. »

Un dernier sursaut de force leur était venu dans leur fièvre ; le maître avait couru prendre son fouet, Joseph courut prendre son fouet.

Le maître leva son fouet qu'il faisait claquer au-dessus de sa tête ; Joseph leva son fouet qu'il faisait claquer aussi au-dessus de sa tête, et : « Hô ! hô ! » les deux ensemble ; mais Barthélemy suit et le neveu du maître suit ; prenant les uns d'un côté du pâturage, les autres de l'autre côté, de manière à rabattre le troupeau.

Ils sont allés, ils sont allés longtemps. Ils marchaient vite, ils criaient, ils faisaient claquer leurs fouets. Ils faisaient claquer leurs fouets de toutes leurs forces,

étant maintenant assez éloignés les uns des autres;
ils criaient de toutes leurs forces, ils faisaient claquer
leurs fouets pour tromper leur solitude; sous les grandes
parois, sous l'une et l'autre grande paroi — et Joseph
allait sous celle de droite — ; alors la marche, le grand
air, l'excitation qu'on se donne vous font du bien;
tout à coup, il a pensé : « Quel jour est-ce qu'on est ?...
Samedi ? Oui, samedi... C'est le jour où ils doivent
monter les provisions. J'aurai une lettre!... »

Il fait claquer son fouet plus fort encore dans l'air
où la mèche fait une petite fumée; et : « Hô!... hô!... »
tant qu'il peut, tandis que les vaches courent vers le
bas du pâturage, où on les voit qui se réunissent peu
à peu : « J'aurai une lettre... »

Et : « Hô! hô! » Les trois autres poussent le même
cri qui arrive à Joseph de tous les côtés à cause des
échos; et lui : « Je vais avoir de ses nouvelles. »

Il était presque joyeux; voilà comment va le cœur.
Il ne se pressait plus, ayant besoin d'être seul (le
contraire d'avant), voilà comment va le cœur. Il
avait laissé les autres aller devant avec les bêtes, lui
venait plus derrière, la lanière du fouet passée autour
du cou. « J'aurai une lettre... on prendra patience...
Je lui écrirai : Prends patience. Il faut seulement
savoir attendre... Quand on est sûr, n'est-ce pas?
l'un de l'autre; quand on se sait fidèles l'un à l'autre,
n'est-ce pas ?... » voilà comment va le cœur.

Il allait, la lanière de son fouet jetée autour du
cou, le manche du fouet battant sur sa cuisse; — il n'a
pas vu qu'on venait à sa rencontre et c'est cette voix
seulement qui l'a fait lever la tête :

« Alors, tu rentres ? »

La voix de Clou :

« Est-ce bien vrai, Joseph ?... Parce que si tu rentres
là-bas, tu es perdu. »

La personne de Clou a alors été devant lui; et Clou :

« Allons, viens... Avec moi, tu ne risques rien... Et puis, tu sais, j'en ai trouvé. »

Il sort de sa poche sa bourse de cuir; montre dans le fond deux ou trois petites pierres jaunes qui sont là parmi de la poudre jaune :

« On partagera, a-t-il dit. Et puis, on partira ensemble. Encore deux ou trois jours. Et on les laisse crever où ils sont... »

Mais il est tout étonné quand il a vu que Joseph haussait les épaules et rien de plus; Joseph a seulement haussé les épaules, puis passe, a passé, est déjà loin; au lieu qu'il ait eu peur comme l'autre fois, ou hésitât, ou bien qu'il se mît en colère.

« Oh! comme tu voudras... »

De nouveau :

« Comme tu voudras, ça te regarde. »

Puis :

« Mais dis-toi bien qu'ils sont perdus, et toi aussi... »

Il recommence :

« Il n'y a plus que le papier, méfie-toi. Ça ne dure pas toujours, du papier. »

Mais Joseph ne semble nullement entendre, étant peut-être déjà trop loin pour entendre; en tout cas, il n'a pas répondu; il ne se retourne même pas.

Alors, Clou le regarde qui s'en va, le regarde qui s'en va toujours plus; puis se remet en route de son côté.

Ils firent tout ce qu'il fallait faire. Ils avaient de nouveau été prendre la hache à long manche; ils allaient d'une bête à l'autre.

Le beau temps a continué de se tenir au-dessus

d'eux; ils se sont déplacés, un moment encore, sous le beau temps; puis la fatigue leur est venue.

Il y avait cette grande chaleur; il y avait qu'ils n'avaient pas dormi et qu'ils ne mangeaient presque plus. Il y avait aussi l'espèce de besogne qui était la leur maintenant. Voilà alors qu'à la cinquième ou sixième bête, ils se sont laissés tomber assis l'un à côté de l'autre, au grand soleil, parmi les mouches, avec leurs cheveux longs, leurs barbes de quinze jours sous leurs chapeaux crevés et aux ailes qui ne tenaient plus.

Ils ont eu soif; le maître a dit à son neveu d'aller chercher de l'eau à la fontaine qui n'était pas très loin de là; le neveu d'abord n'a pas bougé.

Il a fallu que le maître se fâche : alors le neveu a été en courant remplir sous le goulot un baquet plat, de ceux qui servent à laver la crème; il revint avec le baquet.

· Eux l'ont pris. Ils le tenaient devant eux des deux mains; ils buvaient en mettant la bouche dedans comme des bêtes.

Ils burent; des gouttes tombaient de leurs moustaches et de leur barbe, faisant des ronds noirs sur les pierres.

Ils burent, ils se taisaient; ils ne faisaient pas un mouvement.

De nouveau, la belle journée allait, faisant glisser le soleil d'une arête à l'autre, au-dessus de nous, comme le long d'un câble, sans qu'ils bougeassent davantage, sans qu'ils parlassent davantage. Et c'est alors que, tout à coup, Joseph s'était tourné vers le maître; on a été étonné du son de sa voix; il a dit :

« C'est bien samedi, aujourd'hui ? »

Le maître l'a regardé avec un regard pas habité,

un regard gris, un regard plein de brume ; il fait
signe qu'il ne sait plus. C'est Barthélemy qui a
répondu à sa place :

« Oui, c'est samedi.

— Alors, c'est aujourd'hui qu'on apporte les
provisions ? »

Et Barthélemy : « Je crois bien que oui », puis un
nouveau silence, puis Joseph :

« A quelle heure ?

— Vers onze heures, je crois.

— Et quelle heure est-il ? »

Ils ne savaient plus. Il y a eu quand même une des
quatre montres qui marchait encore. Puis on peut
regarder la place du soleil et où il en est de son cours,
car à quelle autre chose pourrait-il bien servir encore ?
faisant sa course pour lui seul, là-haut, loin de nous,
étranger à nous ; mais ils voient à la montre et ils
voient au soleil qu'il ne doit pas être loin de deux
heures : déjà ! ou seulement ! ils ne savent plus. De
sorte qu'ils se sont laissés retomber en avant, la tête
sur la poitrine, mais pas Joseph, parce qu'il pense :
« Deux heures, la lettre doit être là. »

Il s'était levé ; une grande force lui était remontée
dans les jambes. Il fait avec la nuque un mouvement,
il tend la tête de côté.

Le mulet avait été oublié dans un coin de l'abri
depuis deux jours ; il y rongeait pour se nourrir le
bois des poutres. Joseph est paru dans l'abri ; il va
avec la main vers les dents jaunes qui se montrent
dans l'ombre, il va avec la main vers la longe, tandis
que la bête s'est mise à hennir, sentant la bonne
odeur de l'herbe ; il sort avec le mulet qu'il laisse
brouter un moment avant de lui mettre le bât et de
tirer sur la sangle des deux mains en s'aidant du
pied ; puis il se mit à marcher vite, la longe étant

de plus en plus tendue, en arrière de son bras, sur le chemin.

« Allons! le Rouge, disait-il; dès qu'on sera rentrés, je te promets, on te détache. Je te promets, Rouge, qu'on te laissera tranquille si tu te dépêches un peu. »

Ayant atteint ainsi la sortie de la combe, l'espèce de porte qu'il y a là, qu'il passe; marchant facilement, de nouveau plein de force, ayant passé la porte, étant arrivé aux lacets, s'étant engagé déjà à demi dans les lacets.

Là, il commence à aller plus lentement.

Après que les lacets sont finis, on va un bout de temps à plat ou presque parmi les pierriers et les éboulis; — c'est là qu'il commence à aller plus lentement, pendant que sa main va vers en bas et la longe fait de même.

La longe a fini par toucher le sol.

Le mulet en avait profité pour attraper avec les dents quelques brins de gazon, dont les touffes de-ci de-là faisaient des mares vertes parmi les pierres; — Joseph n'osait plus avancer.

Puis, voilà qu'il repart très vite comme s'il était tiré lui-même en avant, tandis qu'il tire sur la longe d'un choc brusque; et on voyait de chaque côté de vous les grandes pentes, avec leurs deux couleurs de gris, vous regarder; leurs deux couleurs de gris, car l'une des pentes était dans le soleil, l'autre dans l'ombre.

Joseph s'est arrêté de nouveau.

Le Scex Rouge est un peu avant le commencement de la forêt qui vient mourir tout près de là par quelques vieux arolles presque complètement dépourvus de branches; c'est un roc en surplomb, un roc couleur de rouille.

Il n'y avait point de lettre. Il n'y avait, en fait de lettre, que la sienne, à lui. Une lettre qu'il avait écrite à Victorine et avait mise là plusieurs jours à l'avance, l'ayant placée en évidence dans le fond de l'abri, debout contre une pierre.

Sa lettre était toujours là. On était venu; on n'avait pas pris sa lettre. Et ce qu'on avait apporté, c'était du pain, du sel, du fromage, un peu de viande séchée; le tout mis dans deux sacs, mais aucun billet et aucun papier, aucune feuille, aucune double, ni même simple page; — quand sur ces papiers quadrillés un cœur se met et vient à vous.

Là-haut, ils n'avaient toujours pas bougé de leur place; c'est ainsi qu'ils ont vu Joseph qui revenait; ils l'appellent, Joseph n'a pas répondu.

Joseph s'est avancé encore jusque devant le chalet, comme il peut; là, on le voit qui jette sur le cou du mulet la longe, et a laissé le mulet aller où il a voulu sous sa charge, sans plus s'occuper de lui; puis Joseph s'est enfoncé dans le trou d'ombre de la porte.

Eux ne comprenaient pas; ils n'ont pas cherché à comprendre. Ils laissent de nouveau leur tête aller en avant, pendant qu'on voyait le mulet continuer d'avoir sur le dos ses deux sacs. Ils se sont tenus de nouveau dans l'immobilité, jusqu'à ce que le soir eût commencé à venir; alors ils se lèvent. Du moins, le maître et le neveu s'étaient levés, à cause du soir qui venait, et Barthélemy les entend à côté de lui qui se mettent debout, puis ils partent en traînant les pieds. Barthélemy se lève à son tour. Il a vu que le maître était arrivé devant le chalet; là, le maître s'est arrêté. Le maître s'est arrêté; il a passé la tête dans l'ouverture de la porte et il appelle; il a appelé

une seconde fois, on ne devait pas répondre ; le maître
n'entrait toujours pas, comme s'il n'osait pas entrer.
Puis on le voit qui a pris son neveu par le poignet
et tire à lui son neveu en faisant un mouvement de
côté avec la tête.

Ils ne sont pas entrés ce soir-là pour dormir dans
l'abri aux hommes, mais dans l'abri aux bêtes, s'étant
poussés l'un l'autre tout à coup en avant dans cette
autre porte comme s'ils avaient été poursuivis.

Barthélemy a été seul, il regarde : plus personne ;
— c'était comme s'il n'y avait jamais eu personne
à cette place, ni nulle part.

Il voyait seulement l'ombre de la paroi venir
à lui avec rapidité : alors, il a semblé d'abord que
Barthélemy eût été sur le point d'aller en arrière,
mais il n'alla pas en arrière, pendant que l'ombre
lui passait par-dessus.

Barthélemy avait seulement été chercher le papier
sous sa chemise, puis il s'avança, tenant son papier ;
il vint jusque sur la porte du chalet ; il disait, lui aussi :
« Joseph, tu es là ? » Il est entré. « Joseph ? » Il a été
alors jusque sur le seuil de la chambre où on couchait : « Joseph ! eh ! Joseph... »

On n'y voyait déjà plus bien, à cause des petites
dimensions de la fenêtre, mais on y voyait tout de
même assez pour qu'il ait aperçu Joseph, qui était
couché à plat ventre. Qui n'a pas bougé, qui ne bougeait pas, qui a été appelé une fois encore et ne bougeait pas.

« Voyons, viens vers moi, disait Barthélemy, avec
moi tu ne risques rien, j'ai le papier, tu sais ; et on se
met ensemble. »

Mais Joseph n'a pas bougé ; on n'a même pas pu
savoir s'il vous avait entendu, ou non ; aucune réponse
ne vint de lui, aucun geste ne fut fait par lui, aucun

bruit ne s'est élevé de dedans la paille où il se tenait étendu, la figure entre les bras.

Et c'est au même moment que ces appels ont commencé à se faire entendre par une bête, puis encore une bête, et leurs longs meuglements, puis une cloche secouée; — alors Barthélemy une fois encore : « Eh! Joseph », inutilement, après quoi il sort de nouveau.

C'était ce qui restait du troupeau, c'était la petite moitié de troupeau qui restait, — parce qu'on l'avait oubliée. En même temps que la nuit venait, l'inquiétude était venue aux bêtes, qui n'avaient pas été traites de tout le jour. Elles venaient avec leurs mamelles gonflées, tendant leurs mufles du côté du chalet; puis, ayant aperçu Barthélemy, voilà qu'elles venaient plus vite et quelques-unes prenaient le trot.

Il faisait chaud. Une étoile était parue. Les bêtes arrivaient; elles ont été autour de Barthélemy comme un mur.

Il faisait chaud. Il n'y a pas eu, ce soir-là, la bonne fraîcheur qu'on sent d'ordinaire vous venir, à ces hauteurs, comme une vapeur d'eau sur la figure. Il faisait aussi chaud que dans le milieu de la journée, avec un air épais, un air fade, un air qui passait mal.

Barthélemy a senti la sueur lui couler sur le front et le long du cou, dès qu'il s'est mis à faire aller ses mains, s'étant accroupi sous l'une des bêtes.

Elles ne bougeaient plus maintenant, elles s'étaient tues, elles restaient silencieuses, mais elles continuaient à se tenir étroitement autour de Barthélemy : alors, est-ce que c'était la chaleur seulement? mais une goutte lui coula le long du nez, et une nouvelle goutte lui coulait le long du nez tombant entre ses genoux, tandis qu'il disait : « Allons, viens, la vieille, c'est ton tour », s'étant passé le bras sur le front. Puis il a remis le haut de sa tête dans cet autre flanc

humide, et : « A toi » ; il a dit : « A toi, la Rousse... »
et la sueur continuait de lui couler dans les oreilles
et dans les yeux.

Sitôt qu'une bête avait été traite, elle s'écartait.
L'une après l'autre, elles se sont ainsi écartées, allant
se coucher quelque part dans le pâturage pour la
nuit ; il n'y en avait plus maintenant que deux ou
trois qui étaient encore là ; — alors, on a pu connaître
l'étendue de notre malheur, le terrain s'étant trouvé
dégagé ; on a commencé à connaître notre malheur, ici
aussi, et notre honte, pendant que Barthélemy se
relevait, passant de nouveau le bras sur son front,
secouant devant lui sa main aux doigts ouverts. Et
est-ce la chaleur seulement, ou si c'est la honte ? —
continuant à considérer dans l'ombre par terre cette
large place claire, grande comme une grande chambre :
tout ce lait répandu, ce lait qui ne va plus servir,
et inutilement tiré.

Une étoile était venue, deux étoiles, trois étoiles.
Le blanc du lait se voyait mieux à mesure que les
étoiles venaient.

XIII

CETTE fois, rien n'a pu le retenir.

C'était le lendemain matin, dans le moment où l'ouverture de la fenêtre a recommencé à être vue, se marquant faiblement en gris dans le mur en face de Joseph; — la longueur du voyage et ses difficultés, les dangers qu'il courrait ensuite, et même de se dire qu'il allait apporter peut-être la maladie à ceux d'en bas : rien n'avait plus compté pour lui, rien ne pouvait plus compter.

Clou était couché dans le lit du maître et Barthélemy dans le sien; ni l'un ni l'autre ne bougèrent, quand Joseph se leva, ni ne parurent le voir passer. Et lui, pareillement, ne les regarda point; pareillement, il n'eut l'air de rien voir, ni dans le chalet, ni hors du chalet, ni ce qu'il y avait devant la porte.

Des bêtes déjà réveillées, les unes essayaient de brouter et les autres erraient en meuglant, puis, voyant Joseph, elles sont accourues; il ne les vit pas. Il ne voyait rien, elles le suivaient, il ne les a pas vues qui le suivaient. Elles secouaient derrière lui leurs sonnailles sur l'espèce de chemin où il s'est avancé

d'abord, tournant le dos à la vallée; et, longtemps, les
bêtes ont été derrière lui sur ce chemin sans qu'il
ait paru les entendre, puis elles s'étaient découragées.
Elles se sont arrêtées l'une après l'autre, avec des
meuglements de nouveau, parce que le lait recommençait à leur faire mal dans leurs mamelles regon-
flées; elles tendaient vers lui leur mufle d'où le son
est sorti, mais sans le léger brouillard blanc dont il
s'enveloppe d'ordinaire à ces premières heures du
jour. Le son, un instant encore, court après Joseph,
le dépasse, lui est ramené par l'écho; Joseph va toujours, il ne s'en est pas occupé. Il va sur l'espèce de
chemin qu'il y a eu d'abord, puis il n'y a eu plus
aucun chemin. Il avait pris par ces étroits passages
et cette suite de ruelles que les quartiers de rocs
laissent entre eux; il passait d'une de ces ruelles à
l'autre, il remontait le torrent. Il tournait le dos à la
vallée et au village, il allait du côté du glacier, il a
été où elle n'était pas; — voyant le glacier tourner
lentement de gauche à droite devant lui, comme une
aiguille de montre, puis il l'a eu en face de soi, lui
tombant tout entier dessus de ses hauteurs.

Joseph traverse le torrent sur des pierres.

Il semblait qu'il allait exprès où elle n'était pas.
On le vit qui marchait à la rencontre des lieux les
plus inhabités de la terre, les plus privés de toute
présence d'homme, et où seulement une pierre qui
dégringole fait entendre par moments une espèce de
voix; il allait à la rencontre de là où il n'y a rien du
tout, là où elle n'était pas, là où elle ne pouvait pas
être. Il n'y avait que le bruit des pierres; pourtant,
il continuait d'avancer, ayant seulement le bruit
d'une pierre qui dégringole au loin par moment pour
répondre au bruit des pierres sous son pas, et cette
voix-là seulement et cette espèce de voix-là pour s'éle-

ver en face de la sienne. Les sonnailles en arrière de
lui s'étaient tues depuis longtemps, seulement une
pierre qui roule, ou un filet d'eau ruisselant, comme
par une blessure, dans la moraine qu'il a abordée
ou dans les crevasses du glacier qu'il avait en dessous
de lui, maintenant. Il faisait un ciel tout uni et d'une
seule même couleur, où le soleil n'était pas encore
parvenu, parce qu'il se trouvait en train de grimper
derrière les crêtes parmi les pierres et les neiges. Un
ciel comme un plafond de chambre, un ciel passé
au blanc de chaux. Et lui qui allait seul dessous, seul
et rien qu'un bâton, avec sa veste du dimanche, son
pantalon de même étoffe, son chapeau noir, tandis
que dans les fissures du glacier, au-dessous de Joseph,
l'eau tournoie, et que devant lui la roche est à nu.
La roche était à nu à cause de sa raideur, et elle
devenait de plus en plus raide par des assises entre
lesquelles d'étroits paliers qu'on appelle des vires
peuvent encore servir et servent, en effet, aux
chasseurs quand ils vont chasser la grosse bête,
mais à eux seulement. Joseph a pris par ces passages.

A mesure qu'il montait, la partie inférieure du glacier s'enfonçait davantage. Le glacier s'affaissait
de plus en plus du bout et était en même temps à la
hauteur de Joseph, et au-dessus et au-dessous de lui.
Et lui devenait cependant de plus en plus petit, et on
l'aurait vu s'élever et en même temps disparaître,
s'il y avait eu quelqu'un pour le voir. L'air était gris
et pâle, les rochers étaient de la même couleur que
l'air et le ciel qui se trouvaient partout confondus
dans une espèce de brume de chaleur. Joseph a
avancé le pied avec précaution dans les couloirs que
remplissait à moitié tout un menu gravier, qui cédait
sous la semelle. Il allait vers les neiges, il était déjà

plus haut que la glace, allant vers les névés qu'on voyait être suspendus dans les limites de la terre à des arêtes, comme une lessive à son cordeau. Là où il n'y a plus rien, là où il n'y a plus personne, là où il n'y a plus d'arbres, ni de buissons, ni même d'herbe, rien qui soit en vie, sauf quelques mousses rouges et jaunes qui font comme de la peinture sur la roche, à certaines places ; — et une pierre roulait, puis Joseph avance le pied, cherchant un appui sûr pour le tranchant de sa semelle. Déjà, si on avait pu le voir, il n'aurait pas été plus gros qu'un point, vu du bas du glacier, puis il n'aurait plus été vu du tout, et il aurait été comme s'il n'était pas. Il s'est tenu suspendu, n'étant plus rien, longtemps encore, dans l'air, et à l'une, puis à l'autre de ces grandes parois, qui avaient été frottées et polies, avaient été peu à peu usées par le glacier venu autrefois jusqu'ici ; puis il a gagné les champs de neige, faisant à chacun de ses pas un trou bleu dedans. Son passage là est resté marqué par des points faits avec un fil de couleur dans cette belle toile neuve, puis il arrive à un autre champ de neige s'étendant à plat, où il y a des papillons qui sont tombés, de tout petits papillons rose clair, qui sont chacun au fond d'un trou, parce que la neige a fondu sous eux. Joseph marcha plus difficilement, plus lentement, enfonçant jusqu'au genou. A main droite et à sa hauteur, dans le prolongement même du névé qu'il traversait, une première crevasse largement ouverte et qu'on pouvait sonder de l'œil, à cause de son inclinaison, marquait le point de rupture du glacier. Plus en arrière, celui-ci s'élevait en pente douce jusqu'à une sorte de col qui s'ouvrait sur le ciel ; et c'est là qu'on a vu paraître enfin le soleil : un soleil comme vu à travers du papier huilé, qui a été vu, qui ne l'est plus ; qui paraît, qui a disparu.

C'est qu'une arête noire était venue se mettre entre lui et vous; entre lui et Joseph, il y avait eu cette nouvelle barrière à la rencontre de laquelle Joseph allait. On ne sait toujours pas où il va. C'était une levée de rocs noire d'humidité et frangée de blanc dans le haut, et toujours personne. Personne ne semble être venu ici depuis les commencements de la terre et n'y avoir jamais rien dérangé, sauf qu'à présent un homme continuait d'écrire les preuves de son existence, comme quand on met les lettres l'une à côté de l'autre, pour une phrase, puis encore une phrase, dérangeant ainsi le premier la belle page blanche par ses traces qui se voyaient de loin. Où est-ce qu'il va? De nouveau, on se demandait : « Où est-ce qu'il peut bien aller? » car il ne semblait pas qu'il pût y avoir sur ce point aucun passage, pourtant Joseph allait toujours. Et, un instant après, en effet, on a compris; il n'y a eu qu'à prolonger de l'œil la ligne déjà tracée par Joseph pour qu'on la vît venir se heurter à la partie d'en bas d'une sorte de long et étroit couloir rempli de neige, aboutissant dans le haut à une entaille carrée : une fenêtre, tout à fait une fenêtre par la forme, avec une vitre de ciel, et on l'appelle la Fenêtre du Chamois. C'était là-haut, entre deux dents, et le couloir qui y menait montait directement, mis debout avec sa blancheur contre la-paroi, comme une échelle. Le Pas du Chamois, c'est le nom qu'il a, et en haut du pas est la Fenêtre du Chamois, qui est le nom qu'on lui donne; qui est le nom qui lui a été donné par les quelques-uns du moins qui s'y sont risqués, des chasseurs; — et on tourne par là la chaîne sans trop de peine, ni de détours.

Ils mettent leur fusil en travers de leur dos, car ils ont besoin de se servir des mains et des pieds; ils

ont un sac avec leurs provisions dedans, ils ont des
jambières de cuir; maintenant c'est le tour de Joseph,
mais lui sans sac, ni jambières, ni fusil; en habits du
dimanche, un bâton à la main. Ils ont un cornet
pour s'appeler en cas de besoin, ils sont plusieurs; —
lui était seul, n'ayant pas de cornet, n'ayant personne
à appeler, marchant dans la neige pâle et dans l'espèce d'ombre que l'arête d'ardoise portait en avant
d'elle.

Il a atteint le bas du couloir; là, il s'est tourné de
côté.

Il a mis son corps de côté, l'épaule droite touchant
la pente. Il montait comme à des échelons par des
trous qu'il faisait l'un au-dessus de l'autre. Il touchait
de l'épaule et avec le côté de sa figure sur la droite
l'escarpement, laissant tomber sur son autre côté une
toujours plus grande profondeur de vide. On est
comme quand on monte à un cerisier sur une échelle.
Heureusement qu'ici la neige bien tassée restait ferme
sous votre poids, tandis que Joseph y creusait des
trous ou y enfonçait son bâton, se servant de lui par
endroit comme d'une prise naturelle. Ainsi, il s'élevait toujours, devenant de nouveau petit et de plus
en plus petit, là-haut, dans le silence; et il a été vu
contre la neige, puis il a été vu contre le ciel, ayant
atteint l'entaille; debout alors là, dans cette fenêtre,
quand tout à coup ce qu'il y a de l'autre côté de la
chaîne vous saute contre, et une moitié de monde
pas connue est connue, venant à vous d'une seule fois.
Là sont rangés autour de vous à nouveau des milliers
de tours, de dents et d'aiguilles, et, à cause de l'éloi-
gnement, il semble qu'on soit au-dessus d'elles, bien
qu'elles soient blanches, toutes blanches et, quand
le soleil vient les frapper, dorées ou roses : en marbre
rose, ou en métal, en or, en acier, en argent; faisant

tout autour de vous comme une couronne de pier-
reries; cet autre côté de la chaîne où Joseph était
parvenu, puis il se met à redescendre.

Il redescendait dans de la rocaille, puis dans de la
neige; il redescendait, mais il tournait en même temps;
il prenait de plus en plus sur sa gauche, il se serrait à la
chaîne qu'il venait de franchir, allant vers le nord
après avoir été vers le sud, redéfaisant ainsi le chemin
fait par lui sur l'autre versant; — dans de la rocaille
et des neiges, puis de la glace, puis des cailloux; puis
la terre a recommencé à se montrer, la terre a recommencé à être d'une belle couleur verte dans les pâturages qu'il a abordés par leur côté d'en haut, et dans le
bas était le chalet qu'il a évité; dans le bas étaient
des points de couleur se déplaçant avec lenteur les
uns devant les autres, pendant que de temps en temps
le battement d'une clochette vous arrivait; mais il
évite les troupeaux, il évite les hommes et les maisons
des hommes, prenant sur le côté d'en haut des pâturages, tandis qu'il ne quittait toujours pas la chaîne,
qui allait s'abaissant par des dos rocheux et des
forêts; — allant toujours, tandis que la journée allait;
allant sous le ciel blanc, parmi les mouches toujours
plus nombreuses et plus méchantes, qui faisaient par
place de petits nuages noirs qu'il traversait en les
déchirant; allant presque à plat maintenant, allant
droit devant lui, puis midi est venu, puis l'après-midi
est venu; — et il a été deux heures, puis trois
heures; c'est alors qu'on l'a vu qui commençait à
remonter.

Il a commencé à remonter dans une forêt où il y
avait un chemin; il avait pris de nouveau sur sa
gauche.

On voyait qu'il faisait le cercle, et de plus en plus
il fermait ce cercle comme s'il cherchait à en faire

se rejoindre les deux bouts; ayant été amené pour finir à un col au-dessous duquel était le village.

Alors, on a compris où il allait.

Il se disait : « Il faudra attendre qu'il fasse nuit », il s'assit à la lisière du bois, dans des buissons. Il lui restait un morceau de pain où il se mit à mordre; il avait bu aux ruisseaux en venant. Il se disait : « J'attendrai qu'il fasse nuit, et puis j'irai l'appeler sous la fenêtre de la cuisine... » Il mangea son pain, et le temps allait pendant qu'il mangeait son pain, bien que ce ne fût encore que le commencement du soir, et pendant qu'il était assis dans les buissons.

Devant lui, les prés descendaient en pente raide, puis tout le village venait, vu de dessus.

Les bruits, recueillis et portés à vous par le double versant de la vallée comme quand on met les mains autour de la bouche, venaient aussi, même les plus petits. Joseph chercha des yeux la maison de Victorine; il la trouva sans peine dans le bas d'une des ruelles, de l'autre côté de la rivière; il voyait qu'il n'y avait personne devant la maison.

Le village semblait extraordinairement désert, ce soir-là; — un enfant pleurait, une femme crie, puis une mère appelle sa fille, puis c'est une porte qu'on ferme.

Il y avait les petits feux de bois qui fumaient bleu à toutes les grosses cheminées carrées, au-dessus des toits, qui étaient gris.

Il devait passer la rivière; c'est pourquoi il lui faudrait attendre qu'il fît nuit; sans quoi on le verrait venir de loin, et s'il continuait d'avancer, on lui tirerait dessus, car il était comme les réprouvés qui n'ont plus permission de se mêler aux autres hommes ou seulement de s'approcher d'eux.

Mais, patiemment, il attendait, il regardait, il écoutait, laissant la nuit venir qui heureusement vous dérobe aux yeux en vous rendant semblable à elle; — étant déjà d'ailleurs dérobé aux yeux par les feuilles, tandis qu'il tenait ses jambes à plat devant lui et avait mangé son pain.

Une femme appelait de nouveau.

C'était comme toujours, semble-t-il, avec les mêmes toits bien connus à une place pas changée, la même suite de petits bruits connus aussi et toujours la même : — c'était comme toujours et en même temps pas comme toujours.

Il cherchait la différence, parce qu'il y avait dans l'air quand même cette différence, ou si c'est seulement le ciel resté étrangement couvert, et qui n'avait pas changé de couleur, à présent que le soleil se couchait, puis a été couché; mais sans que se fussent pourtant montrées les teintes qu'il a d'ordinaire, qui sont comme celles du trèfle, celles de l'esparcette en fleurs. Il y avait que le ciel restait gris; c'était la différence, ce n'était pas la seule. Pourtant, tout allait comme toujours, là en bas — Joseph regardait —, tout va comme toujours, semble-t-il, parce qu'un homme vient encore de passer le pont, tirant son mulet par la longe. On voyait les jambes minces de la bête faire leurs petits mouvements sous la grosse boule d'herbe, tandis que la longe sur laquelle l'homme tirait faisait se tendre le cou du mulet en avant. Une lumière déjà s'était allumée à une des fenêtres, et dans une des parties du village où l'ombre était plus épaisse qu'ailleurs, donnant le signal; c'est bien comme ça que ça va toujours, parce qu'il y a des ruelles plus étroites et moins claires que d'autres. On ouvrait aussi la porte des étables pour faire aller boire les quelques vaches qu'on garde, l'été, quand

toutes les autres sont à la montagne; les quelques
vaches qu'il faut bien, à cause du lait, et il y avait
ces carrés de nuit, puis des carrés encore clairs, mais
le nombre des carrés clairs allait diminuant toujours
plus. Joseph aurait pu maintenant s'avancer sans
être découvert, ayant été gagné lui-même par l'ombre;
— et trois lumières, puis cinq lumières; — puis on
rentre le bétail, on ferme les portes; on entend pleurer
les enfants. Joseph voyait que tout était comme toujours et en même temps le cœur lui tape contre les
côtes. Il vint en avant, il vint encore un peu en avant,
puis il s'arrêta, comme n'osant pas aller plus loin;
pourtant, la nuit était tout à fait venue. Il était dans
une nuit d'autant plus noire qu'il y manquait les
étoiles, il aurait pu venir sans crainte, alors quoi?
Il a dû se raidir, il a dû se dire : « Il faut », et se forcer;
puis s'avance, descend la pente. Et personne sur le
chemin, personne non plus dans les prés, ce n'est pas
l'heure; pourtant, il ralentissait de nouveau le pas;
on aurait dit qu'il faisait exprès d'aller le plus lentement possible, étant arrivé en face du pont.

Il attend un moment encore avant de passer le
pont.

Puis il le passe, mais à présent, c'était comme s'il
avait oublié qu'il ne devait pas être vu; il n'a rien
fait pour ne pas être vu, ayant pris dans le milieu
du pont, allant de son pas ordinaire.

On aurait très bien pu le voir, s'il y avait eu seulement quelqu'un, mais il n'y avait personne. Personne
sur les bancs, ni devant les portes, ni aux fenêtres;
personne non plus, comme il montait la rue. Et elle
devenait de plus en plus étroite, alors il s'est glissé
le long de son côté gauche à ras les murs, jusqu'à
ce qu'il fût arrivé.

On ne venait toujours pas, personne ne parle

aux environs; dans la maison, en face de lui, tout se tait également, bien que les fenêtres de la cuisine et les trois fenêtres de la chambre qui est à côté soient éclairées. Il regarde cette façade en pierre et en bois, dont la partie de bois ne se voit plus depuis longtemps, et c'est seulement la partie d'en bas qu'on distingue, étant passée au blanc de chaux. Les fenêtres, plus haut, semblent découpées dans la nuit, elles sont fermées. Et, quand la porte en haut du perron, un moment après, s'est ouverte, elle s'est ouverte sans faire aucun bruit.

On a vu la lampe de la cuisine pousser par l'ouverture sa lumière sur la large dalle où il y a eu une place éclairée; là, une femme s'est tenue un instant, la tête sous un fichu, puis elle descend l'escalier.

Elle fait tout doucement, on ne l'entend pas descendre les marches; on l'a vue de nouveau sur le mur blanc, elle a été noire sur le mur blanc; à présent, elle s'en va, tandis que Joseph se tient toujours à la même place, levant les yeux vers les fenêtres, mais personne ne s'y montre, aucune ombre même n'y est parue.

C'est alors qu'un bruit de pas s'est fait entendre dans la ruelle; trois hommes passent devant Joseph. Ils ne parlent pas. Ils montent l'escalier l'un derrière l'autre, sans rien dire, faisant tout doucement, eux aussi. Puis l'homme qui va en tête frappe trois petits coups à la porte d'entrée; il pèse ensuite, sans attendre qu'on vienne, sur le loquet, tout doucement; la porte cède, la porte va en arrière, la porte s'est refermée.

Joseph leva de nouveau les yeux vers la rangée des cinq fenêtres, les deux premières sur la droite étant celles de la cuisine et les trois d'ensuite celles de la chambre; elles étaient trop élevées pour qu'on pût voir à l'intérieur. Il a remarqué seulement que les fenêtres de la chambre ne sont pas éclairées de la même façon que celles de la cuisine, c'est ce qu'il remarque tout à coup et il vient seulement de le remarquer. Une lumière plus pâle, moins fixe; elle bouge par moments, elle penche, elle semble sur le point de mourir, puis se ranime; elle se détend et se retend derrière les petites vitres comme quand on efface les plis d'une étoffe, qui se plisse de nouveau; et toujours pas moyen de rien distinguer dans la chambre; mais alors Joseph pense au fenil qui doit être, en cette saison, pleine de foin; le fenil contre lequel il se tient appuyé de l'épaule, s'il n'est pas fermé à clef, mais il n'est pas fermé à clef. On y entre par-derrière. Il y avait d'abord un tas de foin assez bas, d'où on pouvait passer facilement sur un second qui montait jusqu'au toit. De là-haut, il verrait tout, c'est ce que Joseph pense encore; puis s'avance sur le ventre parmi les fétus qui craquent et pétillent, ayant gagné ainsi du côté des poutres du mur pas bien rejointées, qui faisaient justement face aux fenêtres de la maison.

Il ne bouge plus. Il a porté un premier regard entre les poutres, il regarde de nouveau fixement par la fente comme s'il n'avait pas bien vu la première fois, comme si ce qu'il avait vu ne pouvait pas être vrai.

Il regarde donc encore; il ferme les yeux de nouveau un moment, comme pour leur laisser le temps de se reposer. Puis il les rouvrit, il ne les rouvrit qu'avec de grandes précautions. Très lentement, peu à peu, comme pour bien s'assurer qu'ils n'allaient pas se tromper de nouveau.

Et il voyait les mêmes choses que la première fois, sans qu'il se rendît encore bien compte de ce qu'il voyait; mais son cœur a commencé à sauter derrière ses côtes comme un oiseau dans sa cage, faisant du bruit; tandis qu'il se disait de nouveau : « C'est pas vrai! » c'est pourquoi il faut qu'il regarde encore.

On voyait que la différence d'éclairage entre la cuisine et la chambre provenait de ce que la cuisine était éclairée par une lampe, et, la chambre, c'étaient deux bougies qui l'éclairaient.

On voit, mais est-ce que c'est vrai? qu'elles sont posées sur une table, au chevet du lit; il semble qu'elles sont là, l'une à droite, l'autre à gauche d'une soucoupe où une branchette verte trempe dans de l'eau; puis le lit est à côté.

Le lit touche du chevet le mur du fond de la chambre, puis est venu à vous dans sa longueur; il est éclairé par une lumière qui bouge un peu.

Joseph se passe la main sur les trous des yeux qui servent à voir et à connaître, mais peuvent mentir ou se tromper; il va dehors encore une fois avec son regard, tirant en avant son visage qu'il colle à la fente des poutres, regardant de toutes ses forces; — les bougies sont toujours là avec leurs petites flammes pointues; elle est toujours là, elle aussi, elle va être toujours là...

Elle bouge faussement; elle est couchée là, elle est immobile. Elle est immobile pour toujours, elle est étendue en arrière, elle est habillée sous le drap, elle a sa robe du dimanche, elle est là, elle bouge, elle ne bouge plus; elle a bougé faussement, c'est la lumière qui bougeait : elle a les mains jointes, les pieds rejoints; on voit qu'elle a un crucifix sur la poitrine, on voit le haut du crucifix.

Il voit, il ne peut plus ne pas voir, et c'est alors qu'il voit aussi qu'il y a les trois hommes de tout à l'heure qui se tiennent alignés sur l'autre côté de la chambre, baissant la tête, parce que le plafond est bas.

Joseph les voit, il les reconnaissait : c'étaient son oncle et ses deux frères à elle; mais elle, oh! elle, alors, comme elle a l'air de peu s'occuper d'eux, comme elle a l'air de peu s'occuper d'eux, ni de personne, ni de moi!

« Hé! Victorine! »

Est-ce qu'il a appelé? Il ne sait pas s'il a appelé ou non.

« Victorine! »

Il regarde, elle n'a pas entendu. Elle n'a pas bougé.

« Victorine! »

Sa gorge est devenue sèche. Sa gorge et le dedans de sa bouche sont comme du sable. Il hausse les épaules. Il a son cœur qui fait tant de bruit qu'il n'entend plus ce qu'il se dit à lui-même. Et il n'est déjà plus sur le tas de foin, il faisait vite, étant allé avec sa main à ses souliers dont il défait le cordon de cuir, puis, les attachant par le cordon, il se les pend autour du cou.

Il est pieds nus, il tient son bâton, il serre son bâton dans son poing « pour si on cherchait à l'arrêter ». Il a son idée, qui le fait sortir : il est hors du fenil, il est dans le passage, puis dans la rue; il marche au milieu de la rue, il tient son bâton, il monte la rue, il est pieds nus; — aller lui dire adieu, mais d'abord...

Parce qu'il s'était dit : « Ils seront vite trop nombreux; un bâton n'y suffirait pas... »

Aller au moins lui dire adieu, et puis peut-être qu'on s'est trompé, est-ce qu'on sait jamais? si peut-être on s'était trompé, à cause qu'à présent il doute de nouveau de tout, dans la grande nuit où il est; et puis, mère, n'aie pas peur, c'est moi, je ne fais qu'entrer et sortir, j'ai seulement quelque chose à prendre dans ma chambre; mais ne m'approche pas, ne me touche pas... Attention! je te dis...

Parlant ces choses tout haut et d'avance, puis il connut qu'il était arrivé devant sa maison, il se vit montant le perron, on ne l'entendait pas monter, il avait ses souliers autour du cou, tout était bien tranquille; alors vaguement encore il s'était demandé : « Est-ce qu'il faut que je heurte? est-ce qu'il vaut mieux que j'appelle? est-ce qu'il ne vaut pas mieux encore que j'entre tout droit? » il n'a pas eu le temps de répondre à ses questions...

Parce que sa mère devait l'avoir vu passer, parce que peut-être ces oreilles-là sont plus sensibles et plus fines et que la chair nous tient liés les uns aux autres étroitement; — alors la porte qui s'est ouverte, ce cri...

Et lui :

« Tais-toi! »

Puis il crie lui aussi; il crie :

« Tais-toi... Et laisse-moi passer. »

Pendant qu'à présent les fenêtres s'ouvrent; mais je ferai ce que j'ai à faire, et on ne m'empêchera pas de le faire...

« Et toi, je te dis, ôte-toi vite de mon chemin... »

Elle continuait de ne pas comprendre ce qui arrivait, c'est pourquoi elle criait toujours dans la cuisine; mais Joseph l'a tirée de côté, et déjà on entendait Joseph marcher dans la chambre d'en haut où le poids de son corps faisait plier les poutres du plafond. « Joseph, mon Dieu! Venez vite! est-ce lui? » Puis : « Catherine! Catherine! » c'était une de ses voisines; mais il descendait l'escalier, il est reparu, il traverse la cuisine pour sortir, sans plus rien dire; il est dehors, il est sur le perron; là, il a été éclairé.

De sorte que tous l'ont vu, et ont vu que c'était bien lui, non pas seulement son fantôme, tous ceux qui s'étaient mis aux fenêtres ou se tenaient sur le pas de leur porte, d'un bout à l'autre de la rue; — lui éclairé là-haut vivement par-derrière; ainsi on voit qu'il tient sa carabine dont il tire la culasse en arrière, puis y glisse une cartouche.

Puis :

« Oui, c'est moi! »

Là-haut, sur le perron; seul à être éclairé là-haut, d'un bout à l'autre de sa personne, avec le geste que ses mains font, avec le geste qu'il a fait ensuite de rejeter la tête en arrière :

« Venez seulement!... »

Il a fait alors comme s'il attendait qu'on vînt; on n'est pas venu. Il attend encore, on ne vient pas; il commence à descendre lentement les marches.

Au milieu des marches, il s'arrête.

Il avait mis sa carabine en travers de ses genoux, il s'est assis; on le voit qui remet ses souliers, puisqu'il n'avait plus maintenant à se gêner de personne.

Il remit ses souliers sans se presser, car on sait bien qu'on ne vous dérangera pas. Puis il a été debout.

Il continuait à ne pas se presser, il descendait la rue, il ne se retournait même pas.

A mesure qu'il les avait dépassés, les gens sortaient de chez eux et se mettaient à le suivre, mais il ne s'est toujours pas retourné, tenant sa carabine sous le bras gauche.

Devant lui, il n'y avait personne et même les têtes qui étaient apparues aux fenêtres se retiraient, les portes qu'on avait déjà ouvertes s'étaient fermées.

Il a pu passer sans aucune peine, il a pu aller où il voulait.

Là, il a parlé avec douceur. Il a dit à l'oncle :

« S'ils viennent me déranger, ça leur coûtera
cher. »

C'était l'oncle qui était venu à la rencontre de
Joseph jusque dans la cuisine; mais Joseph n'a pas
élevé la voix, il a dit :

« Je veux seulement qu'on me laisse tranquille. »

Il a montré à l'oncle sa carabine :

« Allez à leur rencontre. Empêchez-les de trop
s'approcher. Et surtout qu'on ne monte pas. »

Alors le vieux avait laissé tomber ses lèvres dans sa
barbe, puis c'est sa barbe elle-même qui est tombée
en avant, tandis qu'on a vu les deux frères reculer
jusque dans l'angle de la chambre, où ils lèvent
le bras, et ils se cachent la figure derrière; mais
Joseph :

« Oh! il ne vous faut pas avoir peur. »

Il entrait. Il a ôté son chapeau.

Il a dit :

« Je suis seulement venu lui dire adieu. »

Il venait d'ôter son chapeau, il s'est tenu un instant
dans le cadre de la porte sans bouger, tête nue, regardant du côté du lit, puis il se tourne vers les deux
hommes; alors il semble bien qu'il a dû leur demander
quelque chose, parce que l'un des deux a essayé de
parler, cherchant ses mots dont quelques-uns sont
ensuite venus dehors difficilement.

« Ah! a dit Joseph, c'est à cause de moi... Ah! »

Il recommençait, mais à présent c'est vers elle
qu'il se tournait :

« Ah! c'est à cause de moi!... Oh! qu'est-ce que tu
as fait? »

Il s'était avancé un peu, c'est de quoi les deux
autres avaient aussitôt profité pour se glisser le long
du mur jusqu'à la porte; si bien qu'il n'y a plus eu

que lui, et elle, dans la chambre; ils n'ont plus été
que les deux.

« Tu n'aurais pas dû! » a-t-il dit.

Il s'est avancé encore un peu :

« Tu vois bien que je serais venu... Victorine. »

Sa figure à elle a semblé bouger, elle bouge, elle
ne bouge plus. Il était debout. Il était debout à côté
du lit. Il la regardait de haut en bas.

Le plafond qui était très bas faisait qu'il gardait
la tête baissée; il avait mis ses mains l'une dans
l'autre sur son chapeau.

« Victorine. »

Elle ne répondait pas.

« Victorine... »

Il a dit :

« Ah! c'est vrai, mon Dieu! »

Il a dit :

« Tu vois que je suis venu. »

Il a dit :

« Mais je suis venu trop tard; c'est ma faute. »

Il a dit :

« Je te demande pardon. »

Il la regarde encore un long moment. Puis il s'est
rapproché encore du lit; il vient plus près, toujours
plus près, il vient jusque tout contre le lit, tout contre
elle; là, ses genoux se sont mis à fléchir, ses genoux
vont d'eux-mêmes en avant.

Il tendit encore un peu la tête; il disait :

« Adieu, adieu, petite... »

Il disait :

« Adieu, Victorine... »

Puis il a secoué la tête :

« Non, je ne m'en vais pas. »

Elle était tellement près de lui, avec sa figure et ses
mains. Chaque fois que la flamme des bougies bou-

geait, quelque chose bougeait sur sa figure. Il lui
parle, peut-être bien qu'elle va répondre. Et, de
nouveau, il lui parlait :

« Faut-il que je reste, Victorine ? dis, Victorine... »
Alors il n'a pas pu s'empêcher de tendre la main
vers la sienne, parce qu'elle était tellement près ; mais
aussitôt il retire sa main.

Comme s'il se réveillait, comme s'il commençait
seulement à comprendre ; s'étant, en même temps,
tiré en arrière, mis debout.

Cette main toute froide, cette main comme de la
pierre, au lieu qu'elles étaient si bonnes chaudes
avant, si douces à tenir avant...

« Ce n'est plus elle ; on me l'a changée. »
Il est sorti sans se retourner.

« Alors, nous, qu'est-ce que vous vouliez qu'on
fasse ?... Il sortait avec sa carabine. Nous, on était
peut-être bien une trentaine d'hommes, il s'est tourné
vers nous, mais il ne nous a pas aperçus tout de suite,
parce qu'on n'était pas venus jusque devant la maison et c'est plus haut dans la ruelle qu'on se tenait.
Il nous a dit : « Oh ! n'ayez pas peur, je m'en vais... »
Il a remis son chapeau sur sa tête.

« Il ne faut pas que vous vous gêniez à cause de
« moi, je sais ce que c'est, je m'en vais, mais j'avais
« d'abord une chose à faire, et, cette chose, je l'ai
« faite, alors tout va bien... » Puis, de nouveau :
« Adieu, adieu à vous aussi », pendant qu'il descendait les marches du perron, nous tournant le dos.
Qu'est-ce que vous vouliez qu'on fasse ? Il n'y avait
personne devant lui jusqu'à la rivière et au pont, sur
le chemin qu'il avait à suivre, de sorte qu'il n'a eu
qu'à aller, comme il a fait, sa carabine sur l'épaule.
Car qu'est-ce que vous vouliez qu'on fasse ? Quel-

ques-uns, des étourdis, le voyant qui s'en allait, avaient bien proposé de lui courir après; on les a retenus : « Au contraire, laissez-le partir; plus vite « il s'en ira, mieux ça vaudra pour nous... » La grande affaire était de ne pas l'approcher. On disait : « Il faudra laver le plancher... » — « Et, elle, s'il « l'a touchée? » — « Il faudra verser de l'eau sur les « marches, dans les deux maisons, laver le plancher, « frotter le carreau de la cuisine, faire bien attention « de ne pas oublier de changer de souliers... » Ah! si seulement on avait pu imaginer que jamais il ferait le tour, on n'aurait eu qu'à établir un second poste à ce bout-ci du pont, rien de plus facile... Mais est-ce qu'on aurait jamais cru qu'il ferait tout ce long chemin, pas commode, tellement peu commode que bien rares sont ceux qui s'y sont risqués et jamais autrement qu'à plusieurs... Maintenant il était un peu tard pour le placer, ce poste; pourtant on l'a placé. On se disait : « Il pourrait avoir l'idée de revenir, on ne « sait jamais, c'est plus prudent. On sera plus tran- « quilles... » Du moins, on faisait semblant de le croire. Tout au fond, on ne le croyait pas. Tout au fond, on sentait bien qu'on aurait beau faire... Il n'y avait qu'à regarder le vieux Munier. Il ne disait rien. Il a seulement haussé les épaules. Il ne prenait même plus la peine de rien dire. C'était le dimanche soir. L'enterrement devait avoir lieu le lendemain... »

XIV

Ce dimanche matin, en se levant, ils avaient bien dû voir que Joseph n'était plus là, mais ils n'avaient pas paru s'en inquiéter. Il ne fut pas question de Joseph entre eux; d'ailleurs, il ne fut question de rien entre eux, parce qu'ils ne parlaient plus. Ils vivaient sans paroles, et, tout ce dernier jour encore, ils vécurent sans paroles, après que Barthélemy était sorti le premier de l'abri aux hommes, puis le maître et son neveu étaient sortis de l'abri aux bêtes, tandis qu'on n'avait pas vu Clou qui devait dormir encore. Ils ne disaient rien. Le neveu mordait dans un morceau de pain sec. Des flaques de lait de la veille au soir, il ne restait devant la porte qu'une espèce de peau jaunâtre, déjà sèche, qui se décollait sur les bords. Arrivé devant, Barthélemy avait détourné la tête. Une bête meuglait de nouveau, et elle vint de son côté, tandis que le maître, les mains dans les poches, regardait à terre et son neveu continuait à mordre dans son pain.

Il y avait une lumière jaune; c'est ce dimanche, c'est l'avant-dernier jour. C'était ce dimanche matin, c'était le matin de l'avant-dernier jour; il continuait à faire une grande chaleur, bien que le soleil ne se fût pas montré et qu'il ne dût pas se montrer de toute la journée. Le ciel tout entier était immobile, en même temps qu'il descendait de plus en plus, quoique avec beaucoup de lenteur, et déjà les crêtes étaient cachées, de même que le haut du glacier. On se heurtait partout les yeux à ce plafond, qui allait, posé à plat, de l'une à l'autre des parois, sans joints visibles, ni fissures, mis là comme pour toujours et niant le ciel véritable. Il y avait dessous l'odeur de la mort qui venait; il y avait dessous le meuglement des bêtes. Celles qui restaient encore debout, qui se tournaient alors vers vous, vous ayant vus, puis venaient; celles qui ne pouvaient plus venir, étant couchées sur le flanc, la langue sortie; quelques-unes tout enflées déjà et immobiles sous les mouches, certaines qui essayaient de se soulever par moments sur leur train de devant, puis retombaient; — alors meuglaient aussi et alors appelaient, parce que, quand la bête a peur, elle cherche l'homme, et l'appelle. C'est cet avant-dernier jour, au matin; et d'abord Barthélemy s'était tourné encore vers le maître, puis : « Eh! » tâchant de se faire entendre pour une chose qu'il aurait eu à dire, mais il n'a pas été entendu. Et on ne le regarde pas, de sorte qu'il a pu aller sans être vu à une des bêtes et à la suivante, n'ayant pas voulu attendre qu'elles se fussent rassemblées comme la veille, parce qu'il se rappelait sa honte.

Il s'accroupissait sous l'une des bêtes, il s'accrou-pissait plus loin sous une autre, dans la belle herbe qui penchait, parmi les jolies fleurs d'ici qui étaient fanées et ternies; ainsi il s'était écarté de plus en plus du chalet, ce matin-là, le matin de l'avant-dernier

jour, dans le même temps que Joseph passait par-
dessus la chaîne.

L'odeur de la mort continuait à vous venir, et le
silence de la mort à régner autour de vous. Seule,
de temps en temps, une sonnaille essayait de le
rompre, mais déjà elle se taisait. Barthélemy maintenant venait de traire la dernière des bêtes, ayant
laissé sous elle pour la dernière fois dans le gazon
une flaque blanche, mais elle s'effaçait aussi. Barthélemy s'était alors redressé, puis avait été chercher
son papier sous sa chemise. Sa courte barbe grise se
continuait le long de son cou et aussi bas qu'on pouvait voir, comme quand il y a du lierre contre un
mur. Il était carré d'épaules, quoique maigre, avec
une forte charpente; son gros pantalon sans couleur
tombait en faisant des plis sur ses souliers couverts
de bouse sèche. Il a ouvert lentement la bouche,
une fois, une fois encore, puis une troisième fois.

— C'est sous ce ciel jaune, ce ciel bas et jaune, parmi
les mouches qui se prennent dans sa barbe : les gros
taons, les mouches bleues et vertes, qu'on entend
faire un bruit de trompette en passant; et Barthélemy les chasse continuellement de la main, mais elles
reviennent continuellement. Cependant il demeurait
là; c'est que lui était à l'abri. « Il ne me peut quand
même rien, à moi, » pensait-il, ce qui l'amusait, se
tenant immobile comme pour Lui bien montrer
qu'il n'avait pas peur de Lui, l'Autre, le Méchant,
vous savez. Il ne voyait pas que la ficelle du petit
sac s'était usée autour de son cou. Il faisait exprès
d'être là, il s'est encore tourné à droite et à gauche,
levant les yeux si haut qu'il pouvait, c'est-à-dire jusqu'au plafond de brumes, et à mi-hauteur des parois,
parce que peut-être est-ce là qu'Il se tient... « Et
où es-tu qu'on te voie une fois, Grand Vieux Malin ? »

Mais Il ne se montrait toujours pas. Ce qu'on voyait,
c'était le chalet; ce qu'on voyait aussi, c'était un
peu en avant de la porte le maître et le neveu assis
l'un à côté de l'autre, les bras sur les cuisses. Entre
eux et Barthélemy, dans les parties qui se trouvaient
à découvert, les cadavres de deux ou trois bêtes se
montraient, couchés de côté ou les jambes en l'air
sous une espèce de mousseline noire qui bougeait
comme s'il avait fait du vent. C'est ce que Barthélemy voit, cet avant-dernier matin, sous le ciel jaune
et bas qui descendait de plus en plus; cependant
Barthélemy ne bougeait toujours pas, continuant
tranquillement d'occuper sa même place. Et la
cheminée du chalet ne laissait déjà plus sortir la
moindre fumée, tandis qu'on le distinguait à peine
lui-même, s'adossant à la paroi qu'il continuait par
sa couleur, à peine aperçu, tout petit, comme pas
habité; rien qu'un toit sur quatre murs, rien que des
pierres parmi les pierres.

Oh! ils ne demandaient pourtant pas grand-chose
à ces lieux, ceux qui venaient ici, et ils ne les gênaient
pas beaucoup. Ils étaient modestes en tout, ils se
contentaient de peu. On ne remarquait qu'en s'y
appliquant le toit qu'ils avaient mis au-dessus de leur
tête, l'ayant emprunté tout entier à la roche avec
laquelle il se confondait. Ils ne venaient ici que deux
mois, ils venaient seulement ici deux mois sur douze,
faisant en sorte d'être à peine vus, et même leur
maison était à peine vue; ce qu'on a vu un peu
mieux, c'est ce qui était paru devant la porte, pendant
que Barthélemy regardait toujours.

Barthélemy tout à coup avait vu Clou sortir du
chalet — c'est pourtant une bien modeste et pauvre
chose; — et, là, Clou levait le bras tout en appelant :
« Hé! là-bas!... »

C'est au maître qu'il s'adressait.

Barthélemy serre un peu plus le papier dans sa main. Il serrait dans sa main le papier, c'est pourquoi il a pu venir, tandis qu'on entendait Clou qui disait au maître :

« Où avez-vous mis le pain, hein ? et la viande séchée ? »

Mais le maître continuait à ne pas entendre, comme si les mots n'entraient plus dans sa tête, assis par terre, son neveu assis à côté de lui.

« Parce que je ne reviendrai plus, disait Clou. Et, vous, vous n'allez plus avoir besoin de vos provisions, je pense, bien longtemps ; vous allez me les donner. »

Il a repris :

« Ah ! vous ne voulez rien dire ? Tant pis ! je les trouverai bien sans vous... »

Clou n'a pas pris garde qu'on venait ou plutôt il ne s'en est pas occupé. Il avait dû trouver facilement la cachette aux provisions. C'est ainsi qu'à présent les quatre ou cinq pains qui restaient se trouvaient posés à côté de lui, avec un morceau de fromage et un quartier de viande séchée, sur le bord du foyer, tandis qu'il continuait à rire tout haut, comme quand on tousse, par accès, son sac ouvert sur les genoux. Déjà il avait pris l'un des pains, qui sont ronds assez plats, durs sous les doigts comme de la pierre parce qu'ils sont des pains souvent vieux de quinze jours, il avait pris un de ces pains, il l'avait mis dans le fond de son sac, ce qui semblait l'amuser, car il continuait à rire. Et il venait de prendre un deuxième pain, quand il a été interrompu :

« Ça suffit. »

Il leva la tête. Il vit Barthélemy. Il a cessé de rire dans sa surprise, puis :

« Ah ! c'est toi ! »

Il n'avait pourtant pas lâché le pain, c'est pourquoi il a fallu que Barthélemy recommençât :

« Tu entends, tu as ta part, c'est-à-dire un pain. Tu vas nous laisser les autres. »

Et, en même temps, Barthélemy tenait toujours le papier; il n'a pas fait un seul pas en avant, il n'a pas bougé d'où il était, il se tenait toujours sur le pas de la porte; il parlait d'une voix tranquille :

« Un pain, disait-il, rien qu'un, tu entends! » Alors l'autre :

« C'est que je ne reviendrai peut-être pas.

— Que tu reviennes ou non, c'est un pain, rien qu'un. »

Alors Clou s'est remis à rire, mais pas de la même façon qu'avant.

Puis :

« Bon! comme tu voudras; on ne veut pas se chicaner... D'ailleurs... »

Il a dit : « On se retrouvera peut-être; on arrangera ça une autre fois. C'est comme tu veux. »

Et les pains étaient restés à côté de lui, pendant qu'il refermait son sac; les pains, le fromage, la viande séchée sont restés sur le bord du foyer, alors qu'il avait déjà son sac sur le dos; Barthélemy n'a eu ensuite qu'à s'écarter un peu pour le laisser passer, qui a dit :

« Au revoir quand même, et on verra bien. »

Mais il passe; il s'en allait avec son sac vide aux trois quarts et son bon œil était du côté de Barthélemy, de sorte qu'il a pu lui jeter un regard en passant; mais Barthélemy tenait le papier : alors Clou était déjà loin, allant comme toujours dans la direction du glacier.

C'était cet avant-dernier matin; il pouvait être maintenant neuf heures, c'est-à-dire qu'en temps

ordinaire le soleil aurait justement paru au-dessus
des crêtes et on aurait pu le voir venir en avant, ayant
d'abord sauté dessus comme un bel oiseau de couleur,
mais on ne l'a pas vu venir ce matin-là.

Comme Barthélemy était toujours devant la porte,
il y a eu seulement, derrière cette vitre en papier
huilé, la place du soleil qui a été marquée par un
peu plus de transparence, mais sans accroissement
dans la force du jour. Clou venait de disparaître
derrière les quartiers de roc; Barthélemy regarde
encore autour de lui : c'était comme quand on
regarde à travers des lunettes noires. Deux têtes et
deux dos étaient toujours posés un peu au-dessous
de Barthélemy dans le haut d'un talus, puis une des
bêtes a poussé encore un long appel exprimant la
peur. Et l'heure passait.

Barthélemy était rentré dans le chalet. Dans le
chalet, Barthélemy, agenouillé devant son lit, faisait
ses prières.

C'est ce qu'on aurait vu, si on était entré dans le
chalet; on aurait vu aussi, en sortant, que le maître
et son neveu n'étaient plus à leur ancienne place, —
la seule chose qui se passa encore ce jour-là.

C'était le neveu qui avait tiré son oncle par la
manche, tout en faisant des gestes de l'autre main
du côté de la vallée; et l'oncle d'abord avait cédé,
l'oncle d'abord s'était laissé faire; le neveu lui parlait,
et lui l'avait alors suivi, pendant que le neveu continuait de faire des mouvements devant lui avec le
bras.

Et le maître s'est laissé ainsi tirer par son neveu
jusqu'à l'entrée du pâturage, après quoi le chemin
commence à dégringoler, — mais là le maître s'arrête.

Là, il n'a pas voulu aller plus loin; là, il a secoué
la tête, voulant dire : « A quoi bon ? »

Il allait en arrière avec son dos, et le neveu avait eu beau essayer encore de le tirer en avant; le maître n'avançait plus, il s'est mis à reculer...

De sorte qu'à présent, ils étaient de nouveau l'un à côté de l'autre, à cette nouvelle place, le maître et le neveu; et, à cette nouvelle place, ils ne bougeaient plus.

XV

Lui faisait quelques pas, et il était au cœur de la nuit. Il venait d'entrer dans le bois, il ne savait plus s'il existait seulement, tellement toute sa personne était supprimée, de sorte qu'il lui fallait aller chercher son corps avec sa main; il devait promener sa main sur les habits couvrant son corps, sur le drap rêche, sur les boutons, sur les revers des poches, sur la toile de sa chemise.

Ainsi il était là, un instant, et il existait un instant, puis il n'y avait plus de nouveau que le pur esprit de sa pensée, se demandant : « Où est-ce que je suis? qu'est-ce que je fais? » tandis que lui-même grimpait de nouveau à la pente dans le bois, puis il faisait halte.

Au-dessous de lui, entre les arbres, c'était comme si toutes les étoiles qu'il n'y avait plus dans le ciel avaient glissé. Il les voyait entre ses genoux qu'il ne voyait pas. Il les a vues entre ses genoux, dans la direction de ses pieds qu'il ne pouvait voir; et il n'y avait plus, à part elles, ni ciel, ni terre devant nous, ni au-dessus, ni au-dessous : rien que la grande masse

noire sans dimensions et sans limites de la nuit où
Joseph a vu encore une fois briller les lumières; puis
il a été comme poussé en avant par les épaules, ayant
recommencé à monter.

Il se cognait à des troncs; il devait chercher devant
lui avec les mains les places où on pouvait passer.
C'est alors qu'il se retourne de nouveau; il voit qu'il
n'y avait plus en dessous de lui ces étoiles de tout à
l'heure; il se met à redescendre, comme pour aller
les chercher.

Il est redescendu quelques pas, allant à leur rencontre, puis s'arrête sans les avoir retrouvées; il repart,
il grimpe à nouveau sur le tapis d'aiguilles où il
glisse, où il va en arrière à chaque pas et a besoin
d'aller chercher avec les mains la pente pour s'aider
d'elle; continuant pourtant d'avancer, sa carabine
sur l'épaule, cette dernière nuit, à travers le bois,
vers en haut, et ayant perdu son chemin, mais la
pente à elle seule était heureusement une indication
suffisante, de sorte qu'il allait droit contre elle; et le
temps passe.

Il ne sait pas combien de temps s'est passé
encore; à un moment donné, le bois a été derrière
lui.

C'était la seconde nuit qu'il ne dormait pas; et,
ayant sa carabine sur l'épaule, avec des cartouches
plein ses poches, de nouveau l'idée lui était venue
de redescendre.

Sûrement que le pont à présent serait gardé; mais,
ayant glissé une cartouche dans son fusil; il tire un
coup en l'air, voilà comment il faut faire; et il voyait
l'air changer de couleur autour de lui, tandis que la
carabine pour la seconde fois crachait sa flamme,
qui en prolongea le canon un instant en rouge au-
dessus de sa tête contre le ciel devenu gris.

Il se disait : « Les munitions ne manquent pas. »
Il tire un deuxième coup de fusil.

Alors l'écho lui est venu dessus et les échos l'un
après l'autre lui venaient dessus de tout côté, comme
si c'était sur Joseph qu'on tirait à présent, à droite,
à gauche, en face de lui, comme s'il commençait une
guerre avec beaucoup d'ennemis qui se seraient
postés en demi-cercle .pour l'attendre; mais elle ne
lui faisait pas peur, au contraire; il fait de nouveau
partir un coup de fusil; c'était bien avant le lever
du jour.

Il redescendrait. Il avait sa carabine. On ne le
verrait pas approcher. Il pourrait choisir sa position.
Il en choisirait une d'où il prendrait le pont en
enfilade.

L'écho vient encore une fois, s'est affaibli, meurt
tout à fait; — lui tient dans ses mains sa carabine
chaude; tout est mort, tout se tait; il voit qu'il est
seul —, ce n'est plus elle qui est là-bas.

Il s'est dit : « Ce n'est pas la peine de redescendre. »

Il y avait deux nuits qu'il n'avait pas dormi; il est
devenu raisonnable, ayant passé le bras dans la bre-
telle de son arme; puis il met les mains dans ses
poches; et en même temps qu'il devenait raisonnable,
il devenait toujours plus triste dans son cœur.

Ayant soupiré longuement, pendant qu'il s'est
remis en marche; pendant qu'il se dit : « C'est vrai :
ce n'est plus elle qui est là-bas... A quoi est-ce que ça
servirait ?... »

Puis, tout à coup, il commence à marcher à grands
pas, puis il va à tout petits pas, il s'arrête presque;
ainsi le temps s'écoulait peu à peu, ainsi venaient
déjà les heures d'avant le jour, ainsi cette dernière
nuit était presque finie : « Ce n'est plus elle, non,
mon Dieu! alors qu'est-ce qu'il faut que je fasse? »

cependant que l'habitude lui faisait faire en sens inverse le chemin fait par lui la veille.

Plus ou moins vite, et avec des arrêts, selon les mouvements de son cœur; poussé par lui en avant, puis retenu; — de temps en temps, il tendait le bras : on l'entendait alors parler à haute voix.

Il était arrivé de l'autre côté du col; ayant pris de nouveau sur sa droite, il s'est mis de nouveau à longer les arêtes à mi-flanc.

De nouveau, il laissait au-dessous de lui les chalets sous leurs toits qui semblaient posés à même le sol d'où il se trouvait; il a passé plus haut que les troupeaux pas encore éveillés dans les fonds, et là se tiennent aussi les hommes; il a passé plus haut que les troupeaux et que les hommes; de plus en plus, il les a laissés s'enfoncer au-dessous de lui, — étant seul, de plus en plus seul; étant seul à présent comme il n'avait jamais été.

Et alors il a commencé à voir aussi avec ses yeux la solitude qui venait, quand, la lumière s'étant accrue, il n'y a plus eu que des pierres et que la neige, autour de lui.

Cette fois, il fallait quand même qu'il fasse attention. Un léger accroissement venait de se faire encore dans la lumière : il voit qu'il venait d'entrer dans une région de brouillard, l'ayant percé d'en dessous avec sa tête; il voit qu'il était arrivé à un étage où l'air libre ne régnait plus. Là, il a commencé à se mouvoir dans une matière jaunâtre, qui collait à lui, qu'il devait déchirer pour avancer, qui pendait après son bras quand il le tendait; et il avait les pieds dans des feuilles d'ardoise rendues noires et brillantes par l'eau d'une petite source, qui s'est trouvée sur son chemin. On n'a connu ici l'apparition du soleil qu'à une petite différence dans l'éclairage, au lieu que sur ces hautes crêtes on est frappé généralement par le soleil, quand il paraît, comme avec le poing, sur le côté de la figure et à l'épaule. A peine si Joseph voyait à trente pas devant lui, bien qu'il se trouvât avoir atteint les passages les plus difficiles dans les hautes parois qu'on prend en travers, et la pierre qui vous roule sous le pied ne fait son bruit qu'un instant, puis son bruit cesse pour toujours. A chaque pas, la mort vous guette; mais que lui importait à lui? c'est pourquoi son corps allait sans hésiter. Son corps le menait, avec ses pensées qui n'étaient pas ici. Il n'y avait que son corps qui fût ici. Et son corps obéissait au souvenir et à l'habitude, tandis que ses yeux avaient retrouvé dans la neige ses traces de la veille, et à présent, dans ces grands champs blancs et tristes, elles lui écrivaient son chemin à l'avance entre les quatre murs de brume qui allaient se déplaçant à mesure qu'il se déplaçait. Est-ce qu'il s'est seulement aperçu de l'insupportable chaleur qu'il continuait à faire et de la pesanteur de l'air, ce matin-là? Oh! c'est qu'il continuait de la voir, elle et elle seulement; il la regardait pendant une grande durée de temps, puis : « Ce n'est plus elle! » Alors de nouveau il faisait un mouvement avec le bras ou il secouait la tête pour la chasser loin de lui. Il était deux hommes, il a été deux hommes un grand moment encore dans ces solitudes, plus solitaires que jamais, dans l'immobilité d'ici où il a été la seule chose en mouvement, ce dernier matin, parce qu'aucun oiseau, ni la corneille, ni l'aigle, ne crie, et aucun vent ne se fait entendre à l'arête des blocs et à la pointe des aiguilles, où tout pendait dans le silence à l'imitation du brouillard. De sorte que rien n'a changé pour lui, jusqu'à ce qu'il fût arrivé à la Fenêtre du Chamois; là l'échelle de ses pas était

maintenant au-dessous de lui, avec les échelons bleus
taillés par lui la veille dans la neige, dont quatre
ou cinq seulement pouvaient être vus, qu'il se met
à descendre posé debout contre la pente dont son
épaule droite est à peine séparée; lui-même distin-
guant mal le bas de son corps et ses pieds, déjà mas-
qués par ces vapeurs, dans lesquelles il s'est enfoncé
de haut en bas. Il n'y avait toujours aucun mouvement nulle part, ni au-dedans d'elles, ni au-dessus
d'elles. Il a fallu qu'il fût arrivé au bas de la fenêtre
et eût traversé là les derniers champs de neige, par
lesquels il allait rejoindre les moraines, et qu'il les
eût rejointes enfin. Le glacier ne pouvait toujours pas
s'apercevoir. Joseph était tout à côté du glacier, qu'il
dominait immédiatement, pourtant il n'en distinguait rien, ni de l'immense chute de ses eaux arrêtées.
Et le bruit qu'il y a eu enfin, n'est pas venu du glacier,
il s'est fait entendre à la droite de Joseph et plus haut
dans l'escarpement, d'où des pierres sont descendues
en roulant jusqu'à lui, du moins c'est ce qu'il lui a
semblé, parce qu'on ne pouvait toujours rien voir,
de ce côté-là non plus. Et, dans le même moment
elle a été encore sur le lit; c'est la seule chose qu'il
voyait encore : sur son lit de là-bas, avec les deux
bougies, la soucoupe pleine d'eau, une branchette
de mélèze trempant dans l'eau de la soucoupe : la
seule chose qu'il continuait de voir, demandant de
nouveau la permission avec sa main : Oh! est-ce que
j'ose?... quand donc des pierres se sont mises à rouler;
— alors Joseph s'arrête brusquement.

Il voit que les vapeurs qui pendaient tout autour
de lui comme des rideaux se soulèvent; il voit
qu'elles commencent à se défaire, elles bougent,
pendant que lui-même continuait à descendre; elles
s'effrangent.

Il fait un mouvement avec la tête; de nouveau, des pierres roulent jusqu'à lui.

Il fait un mouvement avec la tête et, par la déchirure, une lumière bleue se montre à une grande profondeur, s'éteint, puis s'allume de nouveau à quelques centaines de pieds droit au-dessous de vous, comme pour l'oiseau quand il plane, quand il a les ailes ouvertes, quand il se tient à plat dans l'air en faisant des cercles.

La sueur commençait à lui mouiller les paupières et lui entrait dans le regard avec son sel. Joseph respirait difficilement. Il voit tout le glacier qui a commencé à faire un mouvement avec son dos de haut en bas, dans le sens de sa longueur, comme quand le serpent rampe. En même temps, la moraine s'est mise à balancer; toute la grande paroi où il se tenait, comme le marin en haut de son mât, balance. Joseph s'y est cramponné des deux mains, mais inutilement, parce qu'elle va en arrière, elle vient en avant. Il s'est trouvé à un moment donné surplomber le vide, au fond duquel des vagues comme celles de la mer roulaient l'une au-dessus de l'autre avec leur écume; et est-ce à présent qu'on rêve et avant on ne rêvait pas, ou le contraire? comme il cherche à se dire encore, se cramponnant toujours au roc qui a été amené en arrière, de sorte qu'un instant la vue sur le glacier lui fut retirée, mais le mouvement contraire la lui ramenait déjà.

Peut-être qu'on rêvait avant et on rêve encore à présent.

Il leva alors ses regards, il les tourna vers en haut par-dessus son épaule, il les ramena en avant de lui; il a connu que la partie supérieure du glacier continuait d'être cachée. Il vit qu'il y avait toujours là-haut ce plafond comme de la terre jaune, comme

une grande plaine d'argile vue à l'envers, mais
ensuite l'air était libre, en même temps que plein
d'une obscure lumière. C'est ce qu'il aperçoit encore,
tandis qu'il respirait mal; et d'en bas le glacier a
commencé alors à éclairer en vert et en bleu, venant
à lui avec ses reflets verts et bleus, dans un double
faux éclairage, en même temps que le glacier montait, il redescendait, puis remontait. Il faut dire
qu'on n'a pas dormi depuis deux jours. Joseph commençait à ne plus être très assuré sur ses jambes,
pendant qu'il sentait à côté de lui et sous lui bouger
la pente, qui a penché encore une fois. Et de nouveau des pierres ont roulé jusqu'à lui; sans doute que
c'était le mouvement même du sol qui les faisait se
déplacer, comme quand il y a un tremblement de
terre; elles venaient, elles venaient à présent par
grandes troupes, descendant les couloirs, les plus
grosses devant, descendant avec bruit les couloirs;
alors Joseph essaya d'aller plus vite, mais il glissait,
il est tombé. Il se retint juste à temps des deux mains
à une saillie du roc; il s'était remis debout, il lui a
semblé alors entendre toute la montagne se mettre
à rire. Il était reparti; on continuait à rire là-haut, de
dedans les vapeurs, dans la partie de la pente non
visible; il était maintenant arrivé à un pierrier qu'il
avait pris en travers, il se mit à courir dans les pierres;
alors le pierrier lui aussi commença à dégringoler,
cédant sous le poids. Il y eut encore cette rumeur
comme celle d'une chute d'eau ou bien comme quand
un grand vent tourmente la forêt; le sol glisse sous
Joseph, puis encore une fois balance; Joseph ne sait
plus très bien où il est, il fermait par moments les
yeux, puis recommençait à courir, il est tombé de
nouveau; il se relève, il court; — c'est alors qu'il a
cru entendre qu'on lui criait : « Hé! attends-moi! »

Est-ce encore les pierres qui roulent ou si c'est la montagne elle-même qui a une voix; — mais de nouveau : « Hé! tu es bien pressé!... »

Une voix au-dessus de lui, pendant qu'il n'ose pas se tourner d'où elle vient; il continue de se hâter le plus qu'il peut, mais de nouveau : « Hé! Joseph! » puis il y a eu ce grand rire...

Il n'a pas pu s'empêcher de lever la tête. C'était là-haut dans les rochers, à la limite des vapeurs; il a cru voir qu'elles se fendaient et allaient en avant comme le battant d'une porte.

Joseph voit là-haut le brouillard se fendre; par l'ouverture, un homme se porte en avant, avec un sac, comme il lui semble, un sac qui doit être lourd et les poches du pantalon de l'homme font deux grosses bosses au bas de sa veste.

L'homme lève le bras :

« Hé! c'est toi? Je savais bien que tu reviendrais... »

En même temps que les pierres recommençaient à rouler et de nouveau il y a ce rire, ou bien si c'est la montagne qui rit, mais Joseph n'a pas écouté plus loin.

Il venait d'atteindre les premiers gazons où il descendait droit en bas. Il a cru entendre qu'on lui criait encore : « Attends-moi! » il n'a fait qu'aller plus vite, se laissant tomber de degré en degré sur ces petits étages de gazon.

Il avait de l'avance, il lui semblait du moins en avoir et suffisamment.

Il voyait maintenant monter rapidement à lui le fond d'herbe du pâturage, où le torrent, craché par une dernière crevasse, commence à couler parmi les cailloux. Et c'est vers ce point qu'il visait, quand de nouveau la voix est venue; elle lui a paru alors avoir changé de direction, en même temps qu'elle s'était rapprochée.

Il n'a pas pu s'empêcher de se tourner du côté d'où elle venait; elle venait de derrière lui et on s'était rapproché singulièrement, en effet. On riait toujours en ouvrant la bouche. Il voit Clou (si c'était bien Clou) avec son sac et son bâton, les épaules en avant, et un seul œil sous le chapeau, qui se trouvait être à présent entre le glacier et Joseph, ayant pris de l'avance, et là grandissait, grandissait encore, puis lève les bras. Il ne posait plus sur le sol. Il est devenu beaucoup plus grand que sa taille naturelle. Il venait dans l'air, devant le glacier; et riait. Il ne disait rien, il disait : « Oh! tu as beau faire! » il se tenait maintenant entre le glacier et Joseph, comme pour couper le chemin à Joseph — pendant qu'on voyait le glacier bouger encore une fois et se soulever d'un bout à l'autre, aller tout entier en avant, puis il craque et le craquement a parcouru dans toute leur hauteur les glaces; — alors Joseph repart, prenant cette fois la pente de flanc, mais on a ri. On lui criait : « Attention! » En effet, il a vu qu'il ne va pas pouvoir pousser beaucoup plus loin dans cette direction, à cause d'une paroi qui se trouve sur son chemin; et Joseph recommence à descendre; mais l'autre alors a été devant lui. Il devenait grand comme un nuage.

Il ouvre les bras;

« Ah! te voilà... Je savais bien. »

Joseph a voulu crier, il sent sa voix qui lui râpe la gorge.

« Va... va-t'en!... »

Puis : « Ah! tu ne veux pas! » et la voix lui est revenue : c'est qu'il vient de penser à sa carabine; il s'arrête, il fait venir la culasse en arrière, il met une cartouche dans le canon.

On ne s'arrêtait pourtant pas. On continuait à monter vers lui.

Et lui n'a levé les yeux de nouveau qu'en même temps qu'il portait sa carabine à l'épaule, mais alors il a pu voir que la cible était toute proche, ayant encore énormément grandi : il n'a eu que le temps de tirer.

On n'a fait que rire plus fort.

Il voit juste encore qu'on venait toujours, pendant qu'il courait de côté sur la pente; il y a eu encore ces habits, cette moustache tombante, cette bouche qui s'ouvre toujours plus parce qu'on rit toujours plus fort; il lâche son second coup.

Mais la balle passe à travers celui qui vient, comme si c'était du brouillard, comme si c'était un lambeau de ces vapeurs de là-haut; elle va frapper le glacier qui craque.

Frappé par la balle, le glacier craque, pendant que l'eau jaillissait très haut hors d'une crevasse; et aussi, à mesure que la détonation gagnait le long des parois, des éboulements de pierres avaient lieu, de sorte que toute la montagne entrait en mouvement.

On venait toujours cependant. Joseph a lâché son troisième coup à bout portant; néanmoins on venait toujours, comme il a eu encore le temps de voir, puis il a fermé les yeux, pendant qu'il a senti le sol lui manquer sous les pieds et il est tombé à la renverse.

Il pouvait être dix heures du matin ou onze heures. Barthélemy marchait le long du torrent qu'il remontait. Il s'étonnait depuis un moment des bruits qu'il croyait entendre dans le glacier. Jamais la chaleur, même en plein milieu du jour, n'avait été si pénible que ce matin-là; on avait de la peine à marcher, à

peine si on se tenait debout. Barthélemy devait s'arrêter à tout instant, ayant la poitrine vide, et il lui
fallait aller chercher l'air par un mouvement en
avant qu'il faisait avec la bouche. Barthélemy s'était
étonné de cette chaleur; il s'était étonné aussi de voir
que le débit du torrent, depuis un ou deux jours,
avait grandement diminué alors que le contraire
aurait dû se produire; — il allait donc vers le glacier,
pour voir. Il s'étonnait d'entendre le glacier, et
c'était à présent comme si le glacier toussait, tandis
que Barthélemy allait sous une couleur de ciel étonnante; il allait dans une couleur de lumière étonnante,
une couleur comme celle que prend le soleil quand
on le regarde à travers un verre fumé; puis voilà
que le glacier toussait de nouveau, sans qu'on arrivât
pourtant à rien distinguer de suspect dans sa partie
non cachée. Barthélemy la parcourait des yeux de
bas en haut, levant la tête, la levant de plus en plus,
la renversant de plus en plus en arrière; il la parcourait de nouveau des yeux, mais inutilement. C'est
pourquoi il continuait d'avancer, après s'être arrêté
un instant pour reprendre son souffle.

Le glacier toussait, — lui s'était assuré encore une
fois de la main que le papier était toujours bien à son
cou; il était reparti. Le glacier tousse : lui allait en
ouvrant la bouche, comme quand on a de l'asthme, ne
pouvant pas ne pas voir cependant que le torrent se
retirait de plus en plus entre les pierres de son lit,
ce qui étonnait Barthélemy. On pense qu'il a bien dû
y avoir chez lui un peu trop de curiosité; c'est pourquoi, sans penser plus loin, il continuait d'avancer.

A ce moment, il a cru voir là-haut qu'on venait.
C'est comme il se tenait arrêté de nouveau, la tête
renversée en arrière. Il a vu sur le côté du glacier, vers
la haute berge de gauche, un peu en dessous des pre-

mières neiges, ce point, et qui ne fut qu'un point
d'abord et assez longtemps, mais qui bougeait, qui
venait vers en bas, pendu encore très haut dans l'air
au-dessus des glaces et de vous, mais assez rapidement descendait de votre côté, noir dans le gris de
la roche, au-dessous des grandes vapeurs. Et tout
petit d'abord, mais qui a grossi, qui grossit encore;
alors Barthélemy : « Sûrement que c'est Joseph »;
puis il s'était dit : « Je vais l'attendre. » Et ensuite,
comme le point noir se trouvait maintenant avoir
été caché par un avancement de la paroi, Barthélemy
s'est déplacé de nouveau, allant un peu plus de côté,
c'est-à-dire à une centaine de pas peut-être sur sa
droite; tout à coup, là, il avait buté contre une
pierre parce qu'il continuait de garder la tête levée,
et il avait failli tomber tout de son long, tant le choc
avait été fort, qui lui fit faire encore deux ou trois pas,
les bras tendus, dans le vide : voilà ce qui lui était
arrivé, mais à peine s'il y avait pris garde et il n'avait
pas remarqué que le papier s'était détaché de son
cou.

A présent, en effet, on commençait à démêler là-
haut la forme d'un corps, deux bras, une tête, les
jambes. C'était bien Joseph. Barthélemy reconnaissait que c'était Joseph à sa démarche : on ne pouvait
pas ne pas le reconnaître. Barthélemy a mis les mains
de chaque côté de sa bouche, criant de toutes ses
forces : « Hé! Joseph »; mais la voix du torrent a
couvert sa voix. Joseph n'avait pas entendu, ou du
moins il n'avait pas paru entendre, pendant qu'il
venait toujours, et le glacier par moments craquait.
Il y avait ces craquements du glacier de plus en plus
fréquents, cette toux du glacier de plus en plus forte
et profonde, — seulement c'était à présent le tour
de Barthélemy de ne pas entendre, étant distrait

par ses pensées, tandis qu'il continuait à observer
Joseph, se demandant : « D'où est-ce qu'il peut bien
venir comme ça ? » puis il se disait : « Heureusement
qu'il revient. On redescendra ensemble au chalet. »
Et ça craquait. Barthélemy ne faisait pas attention
que ça craquait toujours plus fort au-dessus de lui
et jusque tout en haut de ces étages verts et bleus
posés l'un au-dessus de l'autre; il n'a pas fait attention
non plus qu'en même temps le plafond du brouillard
commençait à se fendre. Il n'a pas compris le geste
que Joseph a fait tout à coup, quand une de ces
fenêtres s'est ouverte au-dessus de lui; mais il voit
alors que Joseph est armé, il voit que le geste de
Joseph a été de porter la main à son épaule puis de
prendre sa carabine dans ses deux mains; puis on
a vu le pierrier se mettre à rouler tout entier vers
Joseph comme de l'eau, et c'était comme si on venait
dans le pierrier, pourtant on ne voyait personne.
Il n'y a eu personne, et il y avait en même temps
une voix qui venait, puis ce fut comme si on s'était
mis à rire. Et Barthélemy : « Qu'est-ce qu'il fait, il
devient fou. » C'était pendant que Joseph courait, puis
Joseph qui épaulait, puis le premier coup de feu
éclate.

Sur quoi est-ce qu'il a tiré ? il devient fou. Le
second coup de feu éclate.

Alors, machinalement, Barthélemy avait porté
la main sous sa chemise; — c'était pendant que
Joseph courait, puis s'est retourné et vise de nouveau,
vise on ne sait pas quoi; — Barthélemy porte la
main où il fallait sous sa chemise, il s'étonne que sa
main reste vide. Il ramène les yeux sur elle : en effet
sa main ne tient rien. Il va chercher encore tout le
long de son cou et sur sa poitrine : il se met vite à
regarder autour de lui et à ses pieds; — une troisième

détonation a éclaté alors, ensuite il a semblé que le glacier tout entier commençait à vous venir contre, par un grand souffle qui vous passe sur la figure ; mais ce n'était déjà plus dans la figure de Barthélemy que le grand vent arrivait.

C'est dans son dos que ce grand vent est venu, puis que ce grand bruit est venu, comme quand commence un orage, avec des craquements, des grondements, des sifflements.

Barthélemy, de toutes ses forces, courait dans la direction du chalet.

Celles des bêtes qui restaient debout et étaient répandues çà et là dans le pâturage, l'ont vu venir, se tournent vers lui ; puis, comme il ne s'arrêtait toujours pas, elles prennent aussi leur course.

Une, deux, trois, puis cinq, puis toutes, les voilà qui prennent leur course dans la même direction que Barthélemy, les unes sur ses côtés, les autres plus derrière, les autres plus devant. Plus il va, plus il y en a, avec leurs sonnailles qu'on n'entendait plus ; quinze bêtes, vingt, vingt-cinq bêtes, tout ce qui restait du troupeau, et leur masse roulait en avant.

Elle a passé en dessous du chalet ; là, elle a fait encore se lever deux morts, l'oncle et le neveu ; puis elle s'est engagée sur le chemin du village, roulant toujours à toute vitesse droit devant elle...

XVI

ALORS, le lundi matin, on avait donc commencé à
sonner pour les morts; l'enterrement devait avoir
lieu à dix heures.

On a commencé à sonner une première fois tout
de suite après le lever du jour, mais il faut dire que ce
matin-là le jour s'était levé tard; il faudrait même
dire qu'il ne s'était pas levé du tout, pendant qu'on
s'étonnait de la couleur du ciel du côté du Midi,
c'est-à-dire du fond de la vallée.

Peut-être bien que ce n'était pas difficile à comprendre, mais on ne voulait pas avoir l'air de comprendre; peut-être bien même qu'on comprenait,
mais on faisait comme si on ne comprenait pas, parce
qu'on s'est levé, parce qu'on a fait son travail, parce
que les femmes avaient préparé le café; c'est à ce
moment qu'on avait sonné de nouveau pour les
morts; puis on avait été boire le café.

Et auparavant on avait relevé les deux postes :
celui d'au-dessus du village, qui était l'ancien, et
celui de l'entrée du pont qu'on avait seulement établi

la veille au soir, et qui était seulement de deux hommes; on a relevé les deux postes, on a été boire le café.

On se donnait l'air de faire quelque chose; on plantait un clou, on a sorti le fumier des étables.

Ils n'arrêtaient plus de sonner pour les morts, alors on aimait autant ne pas trop s'écarter de la maison; d'autant plus qu'on devait se changer, et les femmes nous avaient déjà préparé nos habits du dimanche et une chemise propre, et il nous fallait nous raser encore; c'est pourquoi on n'a pas eu l'occasion de beaucoup se voir, ni de beaucoup se parler, ce matin-là, pendant qu'on sonnait pour les morts et puis on sonnait pour les morts et puis on sonnait pour les morts...

C'est le vieux Munier qui s'est trouvé être prêt le premier; il avait été s'asseoir devant chez lui, sur la place.

Il s'était trouvé prêt une bonne demi-heure à l'avance, il s'était assis avec sa canne sur le banc, attendant que le moment de se rendre à l'église fût venu. On le voyait par les fenêtres, assis sur son banc, les mains sur sa canne, et personne encore ne l'avait rejoint, pendant qu'on sonnait pour les morts.

Nous autres, on n'était pas prêts, ou ceux qui l'étaient ne se montraient pas, de sorte qu'un grand moment encore le vieux Munier a été seul.

On sonnait pour les morts. Nous autres, on regardait par la fenêtre, pendant qu'on se tenait devant nos petits miroirs avec le pinceau à barbe; on n'avait qu'à lever les yeux pour voir à travers les carreaux la couleur que prenait le ciel.

On sonnait pour les morts. C'était une couleur

comme celle du froment trop mûr après que l'épi
s'est doré d'abord, puis il tourne au rouge et au brun;
elle formait une peau sur le ciel comme celle qu'il y a
sur les yeux des aveugles.

On regardait; on n'avait que sa chemise sur le
corps, pourtant on était en transpiration. Pas une
feuille ne bougeait, ni même les fleurs les plus minces
de tige, et les plus haut poussées dans les jardins, ou
dans les prés; pas le moindre brin d'herbe ne bougeait sur la terre, et, là-haut, dans le ciel rien ne
bougeait non plus, ni entre le ciel et la terre.

Pas le moindre mouvement dans l'air; de sorte
que les fumées ne sortaient plus qu'avec grand-peine
des cheminées. On regardait les gros habits de laine
qu'il allait falloir mettre, on n'en avait pas le cou-
rage; puis on regardait de nouveau du côté de Munier; — on sonnait pour les morts.

Il y avait à présent un autre vieux qui était avec
Munier, un nommé Jean-Pierre Geindre; on l'a vu
qui montrait avec le pouce par-dessus son épaule
le fond de la vallée, en hochant la tête.

Munier avait toujours les mains croisées sur le
corbin de sa canne; il les a levées un petit peu l'une
et l'autre, elles sont retombées.

C'est alors que les cloches ont commencé à nous
appeler, par un changement dans la sonnerie; alors
on a commencé à sortir, alors on a commencé à voir
de toutes les maisons sortir les hommes, après qu'ils
avaient passé à la hâte et au tout dernier moment
leur veste; puis, avant de descendre l'escalier, ils se
tenaient un moment encore sur le perron.

On doit dire qu'une des questions qui se posaient
était de savoir si le Président viendrait à l'enterrement.

On a donc vite regardé encore s'il n'était pas peut-être déjà là, parce qu'on était curieux de savoir ce qu'il ferait, depuis le temps qu'il se cachait, et depuis bien des jours déjà il ne sortait plus guère; car il ne rencontrait personne qu'il ne fût arrêté ou qu'on ne lui criât : « Tout ça, c'est de votre faute! » ou encore on le menaçait et les femmes lui faisaient le poing. Il ne restait plus que quelques jeunes gens et certains de ses amis pour continuer à le défendre; c'est pourquoi le Président ne se montrait plus.

Et est-ce qu'il allait venir à l'enterrement? Car, n'y pas venir, c'était offenser la famille et peut-être qu'y venir c'était l'offenser également; en tout cas, c'était risquer un mauvais parti; on était curieux de savoir ce qu'il ferait, s'il viendrait ou non; on regardait donc s'il était déjà arrivé, et il n'était pas encore arrivé; puis, juste comme la cloche finissait de sonner, il arrive.

On devrait dire plutôt : ils arrivent, vu qu'ils étaient toute la bande, y compris Compondu, c'est-à-dire sept ou huit, s'étant sûrement entendus pour venir ensemble; de sorte qu'il ne s'est rien passé du tout sur la place quand ils sont arrivés; ils n'ont rien dit, on ne leur a rien dit; le vieux Munier n'avait même pas levé la tête.

Il était dix heures. On a été chercher le corps. On marchait derrière le cercueil.

La famille venait d'abord. Ensuite, c'était la place du Président, vu sa qualité de Président, et des municipaux; le Président, en effet, venait ensuite, puis venaient les municipaux, suivis de Munier et des vieux. Tout s'est passé dans la règle jusqu'à l'église et à l'église de même, pendant l'office qui a eu lieu comme de coutume. Il ne faut pas oublier de dire que le village tout entier y assistait, hommes et femmes, de sorte que, ce qui pouvait bien se passer pendant ce temps hors de l'église, personne ne s'en est douté. Tout continuait de se passer comme toujours en cas de mort : c'est-à-dire qu'on est entré dans le cimetière et qu'on avait fait le cercle autour de la fosse, tandis qu'il y avait, à côté des deux frères et du père de Victorine, le Président.

Ce fut seulement plus tard, ce fut comme on s'en allait déjà. Il se trouva que le père de Victorine n'avait pas voulu se laisser emmener, pendant qu'on commençait à jeter la terre dans la fosse. Il n'avait rien dit jusqu'alors, il n'avait pas fait un geste, il n'avait même pas pleuré; il continuait à ne rien dire, il continuait à avoir les yeux secs, mais il ne voulait pas venir. Voilà alors qu'on commence à se retourner, c'était pendant qu'on sortait déjà du cimetière; on voit que l'un de ses fils parlait au vieux, puis l'avait pris par le bras, mais le vieux ne bougeait pas. L'autre des fils s'appelait Sébastien. Le vieux secouait la tête, c'est tout; et de nouveau le premier de ses fils, le tenant toujours par le bras, se penchait de côté pour le faire venir, tandis que Sébastien était à la gauche du vieux. Mais tout à coup Sébastien se tourne vers son frère, il lui dit quelque chose; on n'a pas compris, il parlait bas. Seulement, ensuite, il parle haut, on entend : « Reste ici, toi, reste avec lui; et puis, s'il ne veut pas venir, laisse-le faire, ne le tourmente pas »; puis il lève le bras.

Il dit : « C'est moi que ça regarde! »

Il a levé le bras, tourné vers nous, sans avoir encore quitté sa place; et, encore une fois : « C'est moi que ça regarde! » puis il nous vient dessus.

Il criait : « Où es-tu? où es-tu, toi? à nous deux! » il venait droit sur le Président.

On n'avait pas encore eu le temps de se rendre compte de ce qui arrivait qu'il a passé à côté de nous

en courant, venant dans l'étroite allée pleine de
monde où il bousculait le monde, puis de nouveau :
« Ah! te voilà, brigand! » car c'était juste le moment
où le Président allait sortir du cimetière. Le Président, de son côté, avait vu venir Sébastien; il a
commencé à reculer, il allait à reculons, il s'est trouvé
venir donner avec le dos contre le mur. Il y avait
à cette place des vieilles tombes aux croix toutes
penchées, à vieilles croix de bois déjà cuites du pied
et prêtes à tomber; Compondu, qui était à côté du
Président, en a arraché une, ce qui était facile. Il se
place devant le Président avec sa croix de bois;
c'était à la sortie du cimetière, où il y avait une autre
croix, une autre grande croix en pierre avec un socle;
et c'était sous la croix de pierre, pendant qu'on s'était
écarté et on marchait sur les morts. Nous aussi,
d'abord, on était allés en arrière, puis on a été portés
en avant. On a vu que Compondu avait manqué
son coup. On a vu que Sébastien lui avait sauté
dessus. Compondu tombe à la renverse. Et, nous,
on est donc portés en avant, puis voilà que toutes
les croix qui étaient là, toutes ces vieilles croix, plus
très bien enracinées, sont venues hors de terre pendant qu'on entendait : « Bien fait! » on entendait :
« Vas-y, Sébastien! on arrive! »

Compondu avait pu se relever, malgré le sang qui
lui coulait sur la figure et dans sa barbe; il se jette
à son tour sur Sébastien, mais on était venus; il reçoit
trois ou quatre coups de croix sur la tête.

Il tenait Sébastien par le cou; il tombe avec Sébastien et avec nous.

Le Président reçoit un coup qui lui fend le front.

A ce moment, on avait recommencé à sonner.
A ce moment, comme c'est la coutume, on a recommencé à sonner; et nous c'était sous la croix de pierre,

puis ce fut plus en arrière, parce que Compondu
avait réussi à ramper jusqu'à la grille sur les mains
et sur les genoux. Ce fut sous le clocher, pendant qu'on
sonnait là-haut pour les morts encore une fois : ceux
du parti du Président, le Président lui-même, et
nous; nous tous ensemble, ayant roulé à terre, les
uns sur le dos, les autres sur le ventre, pendant qu'on
se tapait au hasard dessus, pendant que les poings
se levaient et quelques-uns levaient leurs croix. Puis
il y a eu un temps d'arrêt, comme il arrive toujours
dans le désordre : voilà alors le Président et ses amis
qui se relèvent, ils courent en bas de la rue, ils courent
jusqu'à l'auberge, tout en soutenant Compondu
qui était couvert de sang; ils arrivent devant la porte
de l'auberge, ils entrent.

Ils ferment la porte de l'auberge derrière eux, ils
tournent la clef dans la serrure.

C'était plein de femmes aux fenêtres; on criait
à toutes les fenêtres et sur les perrons. On sonnait
pour les morts dans le clocher. On arrive à notre
tour devant l'auberge; on s'est jeté contre la porte.
Eux, derrière la porte, entassaient les bancs et les
tables.

On a défoncé la fenêtre avec nos croix, mais eux
avaient déjà bouché la fenêtre. On va de nouveau
contre la porte, on disait : « Il faudrait une poutre,
il faudrait une forte poutre... »

On sonnait pour les morts; on a lancé des pierres
dans les vitres du premier étage qui sont venues en
bas; on disait : « Il faudrait une échelle... »

Quelques-uns alors sont partis pour aller chercher
cette échelle, — et on ne voyait rien, on était bien
trop occupés. Il y avait bien trop de bruit aussi
pour qu'on ait rien entendu jusqu'au moment où
tous les arbres ont été cassés par le milieu dans les

vergers, en même temps que les toits de deux ou trois
fenils partaient en l'air.

Puis on a entendu les cheminées qui dégringolaient.

Ensuite, alors, tout s'était tu, personne ne faisait
plus un mouvement; et c'est dans le silence, c'est
grâce au silence. Là-bas, et en amont, cette chose
qui naissait dans l'air, puis venait; qui a eu tout le
temps de naître et de venir, et était faite de deux
choses, c'est-à-dire qu'il y avait une espèce de roule-
ment comme quand le tonnerre gronde au lointain
sur place, et puis, plus par-devant, comme si des
cloches sonnaient.

On a commencé à écouter, on a commencé à
pouvoir écouter, on a commencé à entendre; puis
quelqu'un, au milieu du silence, quelqu'un tout à
coup :

« C'est eux! Ceux du chalet!... »

Il écoute encore, on écoute :

« Sûrement que c'est eux qui viennent. Attention
à nous! »

On s'était mis à courir de nouveau, tout le monde
s'était mis à courir de nouveau; cette fois, les femmes
couraient avec nous. On est sorti du village, on allait
sur le chemin du côté de la montagne. A peine si on
y voyait. On distinguait pourtant le chemin avec
netteté, à cause de sa couleur, et on pouvait sans peine
le suivre des yeux parmi les prés jusqu'à la forêt. On
voyait également très bien comment, un peu avant
d'arriver à la forêt, il passait devant un fenil, et on
voyait le fenil; on a vu aussi que ceux du fenil étaient
sortis avec leurs armes, barrant le chemin au-dessus
de nous. On regardait le chemin, on regardait tous
le chemin vers l'endroit où il débouche de dessous
les arbres. C'est pourquoi on s'était arrêté, c'est

pourquoi il se faisait de nouveau un arrêt dans le mouvement de nos pieds sur la terre dure. Et, cette fois,
dans ce nouveau silence, c'est tout près de nous que
la sonnerie a éclaté; puis, ceux du fenil n'ont eu que
le temps de se jeter à droite et à gauche du chemin,
comme nous aussi on a fait, du moins on a tâché de
faire, mais on était trop nombreux, et on se gênait
les uns les autres.

Eux ont tiré dans le tas. Ils ont tiré tant qu'ils
ont pu.

Deux hommes allaient devant le troupeau; on les
a vus sortir du bois, les premiers, on les a vus un instant
encore, puis on ne les a plus vus.

Ceux du poste tiraient toujours dans le tas, et les
bêtes roulaient les unes sur les autres, mais elles
allaient trop vite et puis elles étaient en profondeur,
vu le peu de largeur du chemin.

Il semble qu'on ait vu encore Barthélemy, et lui
venait dans le bout de la colonne; lui, a encore eu
le temps de lever le bras, voulant dire « Ne tirez
plus... C'est moi... » mais on a tiré.

Ceux du poste continuaient à tirer, alors on voit
Barthélemy faire encore trois ou quatre pas, les bras
en l'air, puis il tombe.

Et ceux du poste continuaient à tirer, mais à présent ils tiraient sur des cadavres, quant au reste du
troupeau il avait déjà passé.

Autant vouloir arrêter un coup de vent, autant
vouloir arrêter l'avalanche.

Ça nous venait déjà dessus. Ça soufflait rauque.
Des femmes ont crié. Ça fait bouger la terre. Et encore
des cris de femmes, deux ou trois, des cris d'hommes,
puis ça a roulé devant nous, ça a continué de rouler,
c'était déjà dans le village...

Ils disent encore : « C'est un moment après que l'eau est venue. Ce bruit d'orage qu'on entendait, c'était l'eau. Il avait dû se former un barrage dans le glacier. L'eau est arrivée comme un mur, remplissant la vallée jusqu'à quatre mètres au-dessus du niveau ordinaire du torrent, et toutes les maisons du bas du village ont été emportées avec ceux qui étaient dedans... »

Ils disent : « Il nous a fallu plus d'une année de travail pour débarrasser les prés des troncs, du sable, des cailloux... Et, pendant ce temps, la maladie. Toutes les bêtes y ont passé. Puis les hommes ont eu leur tour. »

On dit : « Et Joseph ?

— On ne l'a jamais revu. »

On dit : « Et Clou ?

— On n'a plus entendu parler de lui.

— Et le maître du chalet ?

— Mort. Il avait reçu deux balles.

— Son neveu ?

— Mort.

— Barthélemy ?

— Mort.

— Et celui du mulet ?

— Mort... Mort de la gangrène.

— Le petit Ernest ?

— Mort aussi.

— Le Président ?

— Mort.

— Compondu ?

— Mort. »

« Oh ! disent-ils, tous ceux qui avaient été là-haut, du premier au dernier, d'une façon ou de l'autre ; sans compter que nous y avons passé ensuite... On ne peut pas compter tous les morts qu'il y a eu au village, parce qu'il était venu une mauvaise grippe; et, pendant que les bêtes crevaient sur la paille, nous autres, c'était dans nos lits... »

On n'ose pas trop leur parler du pâturage, parce qu'ils n'en parlent pas eux-mêmes. Ils n'y sont d'ailleurs jamais retournés. Les nouvelles qu'on en a eues ont été apportées plus tard par des personnes pas du pays, — on veut dire par ces gens qui courent les glaciers pour leur plaisir avec des piolets et des cordes; c'est par eux qu'on a su plus tard que le pâturage avait disparu.

Plus trace d'herbe, plus trace de chalet. Tout avait été recouvert par les pierres.

Et jamais plus, depuis ce temps-là, on n'a entendu là-haut le bruit des sonnailles; c'est que la montagne a ses idées à elle, c'est que la montagne a ses volontés.

ŒUVRES DE C.-F. RAMUZ

ÉDITIONS BERNARD GRASSET :

ÉDITIONS GALLIMARD :

ÉDITIONS PLON :

ÉDITIONS CHESTER :

CHEZ D'AUTRES ÉDITEURS (Suisse) :

IMPRIMÉ EN FRANCE PAR BRODARD ET TAUPIN
7, bd Romain-Rolland - Montrouge - Usine de La Flèche.
LIBRAIRIE GÉNÉRALE FRANÇAISE.
ISBN : 2 - 253 - 01096 - 0

La Grande Anthologie de la Science-Fiction

Une **encyclopédie thématique** des années 30 à nos jours.

Chaque volume comporte : une introduction générale, une préface, une présentation de chaque texte, un dictionnaire des auteurs.

Science-Fiction

Cette nouvelle série, inaugurée en janvier 1977, présente aux lecteurs du Livre de Poche les plus grands titres des écrivains du genre, ceux qui sont appelés à demeurer par leurs qualités littéraires, autant que par l'originalité et la puissance d'évocation créatrice de ces œuvres, aux côtés des grands romans de la littérature française et étrangère.